二十五史藝文經籍志

考補萃編

第二十七卷

清史稿藝文志

王承略　劉心明　主編

章　鈺
朱師轍　吳士鑑　等編
梁瑞霞　整理

清華大學
出版社　北京

圖書在版編目（CIP）數據

二十五史藝文經籍志考補萃編. 第 27 卷 / 王承略，劉心明主編. --北京：清華大學出版社，2014

　ISBN　978-7-302-34181-9

　Ⅰ.①二…　Ⅱ.①王…②劉…　Ⅲ.①中國歷史－古代史－紀傳體 ②《二十五史》－研究　Ⅳ.①K204.1

中國版本圖書館 CIP 數據核字(2013)第 246347 號

責任編輯：馬慶洲
封面設計：曲曉華
責任校對：劉玉霞
責任印製：楊　艷

出版發行：清華大學出版社
　　　　　網　址：http：//www. tup. com. cn，http：//www. wqbook. com
　　　　　地　址：北京清華大學學研大廈 A 座　郵　編：100084
　　　　　社總機：010-62770175　　　　　　郵　購：010-62786544
　　　　　投稿與讀者服務：010-62776969，c-service@tup. tsinghua. edu. cn
　　　　　質　量　反　饋：010-62772015，zhiliang@tup. tsinghua. edu. cn
印　刷　者：清華大學印刷廠
裝　訂　者：三河市金元印裝有限公司
經　　　銷：全國新華書店
開　　　本：148mm×210mm　印　張：10.875　字　數：239 千字
版　　　次：2014 年 3 月第 1 版　　　　印　次：2014 年 3 月第 1 次印刷
定　　　價：50.00 元

產品編號：043557-01

《二十五史藝文經籍志考補萃編》編纂委員會

目　　録

子部

集部

清史稿藝文志

章鈺　吳士鑑　朱師轍　等編

梁瑞霞　整理

底本：一九八六年上海書店、上海古籍出版社出版《二十五史》影印《清史稿》關外二次本

校本：一九八二年中華書局排印《清史稿藝文志及補編》本（此爲《清史稿》關內本）

　　清起東陲,太宗設文館,命達海等繙譯經史。復改國史、秘書、弘文三院,編纂國史,收藏書籍,文教始興。世祖入定中原,命馮銓等議修《明史》,復詔求遺書。聖祖繼統,詔舉博學鴻儒,修經史,纂圖書,稽古右文,潤色鴻業,海内彬彬向風焉。高宗繼試鴻詞,博采遺籍,特命輯修《四庫全書》,以皇子永瑢、大學士于敏中等爲總裁,紀昀、陸錫熊等爲總纂,與其事者三百餘人,皆極一時之選,歷二十年始告成。全書三萬六千册,繕寫七部,分藏大内文淵閣、圓明園文源閣、盛京文溯閣、熱河文津閣、揚州文匯閣、鎮江文宗閣、杭州文瀾閣。命紀昀等撰《全書總目》,著録三千四百五十八種,存目六千七百八十八種,都一萬二百四十六種。復命于敏中、王際華擷其精華,别爲《四庫薈要》,凡一萬二千册,分繕二部,藏之大内摛藻堂及御園味腴書屋。又别輯《永樂大典》三百八十五種,交武英殿以聚珍版印行。時《大典》儲翰林院者尚存二萬四百七十三卷,合九千八百八十一册。其宋、元精槧,多儲内府,天禄琳瑯,備詳宫史。經籍既盛,學術斯昌,文治之隆,漢、唐以來所未逮也。各省先後進書,約及萬種,阮元既補《四庫》未收書四百五十四種,復刊《經解》一千四百十二卷,王先謙又刊《續經解》一千三百十五卷,[①]而各省督撫,廣修方志,郡邑典章,粲然大備。其後曾國藩倡設金陵、蘇州、揚州、杭州、武昌官書局,張之洞設廣雅書局,

---

　　①　“刊”字原脱,據一九七六年中華書局排印本《清史稿藝文志》補。以下簡稱中華本。

延聘儒雅，校刊羣籍，私家亦輯刻日多，叢書之富，曩代莫京。及至晚近，歐風東漸，競譯西書，道藝並重。而敦煌寫經，殷墟龜甲，奇書祕寶，考古所資，其有裨於學術者尤多，實集古今未有之盛焉。藝文舊例，胥列古籍，茲仿《明史》爲志，凡所著録，斷自清代。唯清人輯古佚書甚夥，不可略之，則附載各類之後。

經部

經部十類：一曰易類，二曰書類，三曰詩類，四曰禮類，五曰樂類，六曰春秋類，七曰孝經類，八曰四書類，九曰經總義類，十曰小學類。

易類

易經通注九卷 順治十三年，傅以漸等奉敕撰。

日講易經解義十八卷 康熙二十二年，牛鈕等奉敕撰。

周易折中二十二卷 康熙五十四年，李光地等奉敕撰。

周易述義十卷 乾隆二十年，傅恒等奉敕撰。

易圖解一卷　周易補注十一卷 簡親王德沛撰。

易翼二卷 孫承澤撰。

讀易大旨五卷 孫奇逢撰。

周易稗疏四卷　考異一卷　周易内傳六卷　發例一卷　周易大象解一卷　周易外傳七卷 王夫之撰。

易學象數論六卷 黃宗羲撰。

周易象辭二十一卷　尋門餘論二卷　圖書辨惑一卷 黃宗炎撰。

讀易筆記一卷 張履祥撰。

周易說略四卷 張爾岐撰。

易酌十四卷 刁包撰。

易聞十二卷 歸起先撰。

田間易學十二卷 錢澄之撰。

大易則通十五卷　閏一卷　易史一卷 胡世安撰。

周易疏略四卷　張沐撰。

易學闡十卷　黃與堅撰。

讀易緒言二卷　謝文洊撰。

易經衷論二卷　張英撰。

讀易日鈔六卷　張烈撰。

周易通論四卷　周易觀象大指二卷　周易觀象十二卷　李光
地撰。

周易淺述八卷　陳夢雷撰。

周易定本一卷　邵嗣堯撰。

易經識解五卷　徐秉義撰。

易經筮貞四卷　趙世對撰。

周易明善録二卷　徐繼發撰。

易原就正十二卷　包儀撰。

周易通十卷　周易辨正二十四卷　浦龍淵撰。

合訂删補大易集義粹言八十卷　納喇性德撰。

周易筮述八卷　王宏撰撰。

周易應氏集解十三卷　應撝謙撰。

仲氏易三十卷　推易始末四卷　春秋占筮書三卷　易小帖五
卷　太極圖説遺議一卷　河圖洛書原舛編一卷　毛奇齡撰。

喬氏易俟十八卷　喬萊撰。

大易通解十卷　魏荔彤撰。

周易本義蘊四卷　周易蘊義圖考二卷　姜兆錫撰。

周易傳注七卷　周易筮考一卷　李塨撰。

學易初津二卷　易翼宗六卷　易翼説八卷　晏斯盛撰。

周易劄記二卷　楊名時撰。

易經詳説不分卷　冉覲祖撰。

易經辨疑七卷　張問達撰。

周易傳義合訂十二卷　朱軾撰。

易宮三十六卷　讀易管窺五卷　吳隆元撰。

讀易觀象惺惺録十六卷　讀易觀象圖説二卷　太極圖説二卷　周易原始一卷　天水答問一卷　羲皇易象二卷　羲皇易象新補二卷　李南暉撰。

孔門易緒十六卷　張德純撰。

易圖明辨十卷　胡渭撰。

身易實義五卷　沈廷勱撰。

先天易貫五卷　劉元龍撰。

易互六卷　楊陸榮撰。

周易玩辭集解十卷　易説一卷　查慎行撰。

易説六卷　惠士奇撰。

周易函書約存十八卷　約注十八卷　別集十六卷　胡煦撰。

易箋八卷　陳法撰。

周易觀象補義略不分卷　諸錦撰。

索易臆説二卷　吳啟昆撰。

周易孔義集説二十卷　沈起元撰。

陸堂易學十卷　陸奎勳撰。

易經揆一十一卷　易學啟蒙補二卷　梁錫璵撰。

易經詮義十五卷　易經如話十五卷　汪紱撰。

周易本義爻徵二卷　吳曰慎撰。

周易圖説正編六卷　萬年茂撰。

易翼述信十二卷　王又樸撰。

周易原始六卷　范咸撰。

周易淺釋四卷　潘思榘撰。

易學大象要參四卷　林贊龍撰。

周易解翼十卷　上官章撰。

東易問八卷　魏樞撰。

周易洗心九卷　任啟運撰。

空山易解四卷　牛運震撰。

周易剩義二卷　童能靈撰。

周易彙解衷翼十五卷　許體元撰。

易象援古不分卷　申爾宣撰。

豐川易說十卷　王心敬撰。

周易粹義五卷　薛雪撰。

周易圖說六卷　蔡新撰。

讀易別錄三卷　全祖望撰。

周易經言拾遺十四卷　徐文靖撰。

易象大意存解一卷　任陳晉撰。

周易集解纂疏三十六卷　李道平撰。

周易圖書質疑二十四卷　趙繼序撰。

易象通義六卷　秦篤輝撰。

易深八卷　許伯政撰。

易說存悔二卷　汪憲撰。

卦氣解一卷　**八卦觀象解二卷**　**彖傳論一卷**　**彖象論一卷**　**繫辭傳論二卷**　莊存與撰。

易例舉要五卷　**十家易象集說九十卷**　吳鼎撰。

周易大衍辨一卷　吳鼐撰。

周易井觀十二卷　周大樞撰。

周易注疏校正一卷　盧文弨撰。

易守三十二卷　葉佩蓀撰。

周易二閭記三卷　**周易小義二卷**　茹敦和撰。

周易輯要五卷　朱璚撰。

易卦私箋二卷　蔣衡撰。

易經明洛義六卷　孫慎行撰。

易卦圖說一卷　崔述撰。

周易章句證異十一卷　瞿均廉撰。

周易考占一卷　金榜撰。

易經貫一二十二卷　金誠譔。

周易辨書四十卷　連斗山撰。

大易擇言三十六卷　程氏易通十四卷　易說辨正四卷　程廷祚撰。

周易懸象八卷　黄元御撰。

周易本義注六卷　胡方撰。

周易略解八卷　馮經撰。

周易述二十三卷　易漢學八卷　易例二卷　易微言二卷　易大誼一卷　周易本義辨證五卷　增補周易鄭注一卷　周易鄭注爻辰圖一卷　易說六卷　惠棟撰。

觀象居易傳箋十二卷　汪師韓撰。

周易述翼五卷　黄應騏撰。

周易述補五卷　李林松撰。

孫氏周易集解十卷　孫星衍撰。

卦本圖考一卷　胡秉虔撰。

周易虞氏義九卷　虞氏消息二卷　虞氏易禮二卷　虞氏易事二卷　虞氏易言二卷　虞氏易候一卷　虞氏易變表二卷　周易鄭氏義二卷　周易荀氏九家義一卷　易義別録十四卷　易圖條辨一卷　易緯略義三卷　張惠言撰。

易大義補一卷　桂文燦撰。

學易討原一卷　姚文田撰。

易說十二卷　易說便録二卷　郝懿行撰。

易經衷要十二卷　李式穀撰。

易章句十二卷　易通釋二十卷　易圖略八卷　周易補疏二卷
　易餘籥録二十卷　易話二卷　易廣記二卷　_{焦循撰。}

易經異文釋六卷　李氏集解賸義三卷　校異二卷　_{李富孫撰。}

易問四卷　顜易外編六卷　_{紀大奎撰。}

周易指三十八卷　易例一卷　易圖五卷　易斷辭一卷　端木國
　瑚撰。

卦氣解一卷　周易考異二卷　_{宋翔鳳撰。}

古易音訓二卷　_{宋咸熙撰。}

周易倚數録二卷　圖一卷　_{楊履泰撰。}

周易虞氏略例一卷　_{李鋭撰。}

周易學三卷　_{沈夢蘭撰。}

周易述補四卷　_{江藩撰。}

六十四卦經解八卷　易鄭氏爻辰廣義二卷　易經傳互卦卮言
　一卷

易章句異同一卷　易消息升降圖二卷　學易札記四卷　朱駿
　聲撰。

易經述傳二卷　周易訟卦淺説一卷　周易解詁一卷　易經象
　類一卷　_{丁晏撰。}

周易姚氏學十六卷　周易通論月令二卷　易學闡元一卷　姚配
　中撰。

虞氏易消息圖説一卷　_{胡祥麟撰。}

易確十二卷　_{許桂林撰。}

易漢學考二卷　易漢學師承表一卷　易象傳大義述一卷　易
　爻例一卷　_{吳翊寅撰。}

周易附説一卷　_{羅澤南撰。}

周易舊疏考證一卷　_{劉毓崧撰。}

讀易叢記二卷　_{葉名澧撰。}

周易舊注十二卷　<small>徐鼐撰。</small>

鄭氏爻辰補六卷　<small>戴棠撰。</small>

周易爻辰申鄭義一卷　<small>何秋濤撰。</small>

諸家易學別録一卷　虞氏易學彙編一卷　周易卦象集證一卷
　　周易互體詳述一卷　周易卦變舉要一卷　<small>方申撰。</small>

周易故訓訂一卷　<small>黄以周撰。</small>

易例輯略五卷　<small>龐大堃撰。</small>

易貫五卷　玩易篇一卷　艮宧易説一卷　邵易補原一卷　卦
　　氣直日解一卷　易窮通變化論一卷　八卦方位説一卷　卦
　　象補考一卷　周易互體徵一卷　<small>俞樾撰。</small>

陳氏易説四卷　讀易漢學私記一卷　<small>陳壽熊撰。</small>

易釋四卷　<small>黄式三撰。</small>

讀易筆記二卷　<small>方宗誠撰。</small>

周易釋爻例一卷　<small>成蓉鏡撰。</small>

易解説二卷　<small>吴汝綸撰。</small>

易經通論一卷　<small>皮錫瑞撰。</small>

唐史徵　周易口訣義六卷

宋司馬光　溫公易説六卷

宋邵伯温　易學辨惑一卷

宋李光　讀易詳説十卷

宋鄭剛中　周易窺餘十五卷

宋都絜　易變體義十二卷

宋程大昌　易原八卷

宋趙善譽　易説四卷

宋徐總幹　易傳燈四卷

宋馮椅　厚齋易學五十二卷

宋蔡淵　易象意言一卷

宋李杞　周易詳解十六卷

宋俞琰　讀易舉要四卷

宋丁易東　周易象義十六卷

元吳澄　易纂言外翼八卷

元解蒙　易精蘊大義十二卷

元曾貫　易學變通六卷　以上均乾隆三十八年，王際華等奉敕輯。

周卜氏　易傳一卷

漢孟喜　周易章句一卷

漢京房　周易章句一卷

漢馬融　周易傳一卷

漢荀爽　周易注一卷

漢鄭玄　周易注三卷　補遺一卷

漢劉表　周易章句一卷

漢宋衷　周易注一卷

魏董遇　周易章句一卷

魏王肅　周易注一卷

蜀范長生　周易注一卷

吳陸績　周易述一卷

吳姚信　周易注一卷

吳虞翻　周易注十卷

晉王廙　周易注一卷

晉張璠　周易集解一卷

晉向秀　周易義一卷

晉干寶　周易注一卷

晉翟玄　周易義一卷

齊劉瓛　周易義疏一卷　以上均孫堂輯。

連山一卷　歸藏一卷

漢蔡景君　易説一卷

漢丁寬　易傳二卷

漢韓嬰　易傳二卷

漢劉安　周易淮南九師道訓一卷

漢施讐　周易章句一卷

漢梁邱賀　周易章句一卷

漢費直　易注一卷　易林一卷　周易分野一卷

古五子易傳一卷

不著時代薛虞　周易記一卷

魏王肅　周易音一卷

魏何晏　周易解一卷

晉鄒湛　周易統略一卷

晉楊乂　周易卦序論一卷

晉張軌　周易義一卷

晉黃頴　周易注一卷

晉徐邈　周易音一卷

晉李軌　周易音一卷

晉孫盛　易象妙於見形論一卷

晉桓玄　周易繫辭注一卷

宋荀柔之　周易繫辭注一卷

齐明僧紹　周易繫辭注一卷

齊沈驎士　周易要略一卷

梁武帝　周易大義一卷

梁伏曼容　周易集解一卷

梁褚仲都　周易講疏一卷

陳周弘正　周易義疏一卷

陳張譏　周易講疏一卷

後魏盧景裕　周易注一卷

後魏劉昞　周易注一卷

隋何妥　周易講疏一卷

隋侯果　周易注三卷

不著時代姚規　周易注一卷

崔覲　周易注一卷

王凱冲　周易注一卷

王嗣宗　周易義一卷

傅氏　周易注一卷

莊氏　易義一卷

唐崔憬　周易探元三卷

唐李淳風　周易元義一卷

唐陰弘道　周易新論傳疏一卷

唐徐勛　周易新義一卷

唐僧一行　易纂一卷　以上均馬國翰輯。

齊劉巘　乾坤義一卷　黃奭輯。

漢京房　易飛候一卷

晉郭璞　易洞林一卷　以上均王謨輯。

書類

日講書經解義十三卷　康熙十九年，庫勒納等奉敕編。

書經傳説彙纂二十四卷　康熙六十年，王頊齡等敕奉撰。

書經圖説五十卷　光緒二十九年奉敕撰。

尚書近指六卷　孫奇逢撰。

書經稗疏四卷　尚書引義六卷　王夫之撰。

書經筆授三卷　黃宗羲撰。

尚書體要六卷　錢肅潤撰。

尚書埤傳十七卷　禹貢長箋十二卷　朱鶴齡撰。

尚書集解二十卷　九州山川考三卷　洪範經傳集義一卷　孫承澤撰。

書經衷論四卷　張英撰。

尚書解義一卷　尚書句讀一卷　洪範説一卷　李光地撰。

古文尚書考一卷　陸隴其撰。

古文尚書疏證八卷　閻若璩撰。

古文尚書冤詞八卷　尚書廣聽録五卷　舜典補亡一卷　毛奇齡撰。

古文尚書辨一卷　朱彝尊撰。

禹貢錐指二十卷　圖一卷　洪範正論五卷　胡渭撰。

書經蔡傳參議六卷　姜兆錫撰。

禹貢解八卷　晏斯盛撰。

尚書地理今釋一卷①　蔣廷錫撰。

尚書質疑八卷　王心敬撰。

禹貢譜二卷　王澍撰。

尚書質疑二卷　顧棟高撰。

今文尚書説三卷　陸奎勳撰。

書經詮義十二卷　汪紱撰。

尚書約註四卷　任啟運撰。

禹貢會箋十二卷　徐文靖撰。

尚書注疏考證一卷　齊召南撰。

尚書既見三卷　尚書説一卷　莊存與撰。

---

① “理”，原缺，據一九八二年中華書局排印本《清史稿藝文志及補編》補。

晚書訂疑三卷　程廷祚撰。

尚書注疏校正三卷[①]　盧文弨撰。

尚書質疑二卷　尚書異讀考六卷　趙佑撰。

尚書後案三十卷　附　後辨一卷　王鳴盛撰。

尚書小疏一卷　沈彤撰。

尚書釋天六卷　盛百二撰。

禹貢三江考三卷　程瑤田撰。

古文尚書考二卷　惠棟撰。

古文尚書辨僞二卷　崔述撰。

尚書義考二卷　戴震撰。

古文尚書撰異三十二卷　段玉裁撰。

古文尚書正辭三十三卷　吳光耀撰。

尚書讀記一卷　閻循觀撰。

尚書今古文疏證七卷　莊述祖撰。

禹貢川澤考二卷　桂文燦撰。

大雲山房十二章圖説一卷　惲敬撰。

尚書今古文注疏三十卷　古文尚書馬鄭注十卷　尚書逸文二卷　孫星衍撰。

禹貢地理古注考一卷　孫馮翼撰。

尚書訓詁一卷　王引之撰。

尚書敘錄一卷　胡秉虔撰。

尚書集注音疏十二卷　尚書經師系表一卷　江聲撰。

尚書周誥考辨二卷　章謙存撰。

禹貢鄭注釋二卷　尚書補疏二卷　焦循撰。

書説二卷　郝懿行撰。

---

① "校"原作"堂",據《清史稿藝文志及補編》改。

尚書略説二卷　尚書谱二卷　_{宋翔鳳撰。}

逸湯誓考六卷　徐時棟撰。

尚書隸古定釋文八卷　附　經文二卷　李遇孫撰。

書異文釋八卷　李富孫撰。

尚書今古文集解三十一卷　書序述聞一卷　劉逢禄撰。

古文尚書私議二卷　張崇蘭撰。

召誥日名考一卷　李鋭撰。

尚書古注便讀四卷　朱駿聲撰。

禹貢集釋三卷　禹貢錐指正誤一卷　禹貢蔡傳正誤一卷　尚
　書餘論一卷　丁晏撰。

太誓答問一卷　龔自珍撰。

禹貢正字一卷　王筠撰。

尚書伸孔篇一卷　焦廷琥撰。

尚書通義二卷　尚書傳授異同考一卷　邵懿辰撰。

尚書沿革表一卷　戴熙撰。

禹貢舊疏考證一卷　劉毓崧撰。

尚書今文二十八篇解　楊鍾泰撰。

禹貢鄭注略例一卷　何秋濤撰。

尚書後案駁正二卷　王劼撰。

考正胡氏禹貢圖一卷　陳澧撰。

今文尚書經説考三十二卷　尚書歐陽夏侯遺説考一卷　<sub>陳喬
　樅撰。</sub>

虞書命羲和章解一卷　曾釗撰。

書傳補商十七卷　戴鈞衡撰。

書古微十二卷　魏源撰。

達齋書説一卷　生霸死霸考一卷　九族考一卷　俞樾撰。

禹貢説一卷　倪文蔚撰。

書傳補義一卷　方宗誠撰。

尚書曆譜二卷　禹貢班義述三卷　成蓉鏡撰。

尚書故三卷　吳汝綸撰。

尚書古文辨惑十八卷　釋難二卷　析疑一卷①　商是一卷　洪良品撰。

書經通論一卷　今文尚書考證三十卷　皮錫瑞撰。

尚書孔傳參正三十六卷　王先謙撰。

尚書大傳考異補遺一卷　盧文弨撰。

別本尚書大傳三卷　補遺一卷　孫之騄撰。

尚書大傳注四卷　孔廣林撰。

尚書大傳注五卷　五行傳注三卷　陳壽祺撰。

宋胡瑗　洪範口義二卷

宋毛晃　禹貢指南四卷

宋程大昌　禹貢論五卷　後論一卷　山川地理圖一卷

宋史浩　尚書講義二十卷

宋夏僎　尚書詳解二十六卷

宋傅寅　禹貢說斷四卷

宋楊簡　五誥解四卷

宋袁燮　絜齋家塾書鈔十二卷

宋黃倫　尚書精義五十卷

宋錢時　融堂書解二十卷

宋趙善湘　洪範統一一卷　以上均乾隆三十八年，王際華等奉敕輯。

今文尚書一卷

古文尚書三卷

---

①　“析”原誤作“折”，據《清史稿藝文志及補編》改。

漢歐陽生　尚書章句一卷

漢夏侯建　尚書章句一卷

漢馬融　尚書傳四卷

魏王肅　尚書注二卷

晉徐邈　古文尚書音一卷

晉范甯　尚書舜典注一卷

隋劉焯　尚書義疏一卷

隋劉炫　尚書述義一卷

隋顧彪　尚書疏一卷　以上均馬國翰輯。

漢伏勝　尚書大傳四卷

漢張霸　百兩篇一卷

漢劉向　五行傳二卷　以上均王謨輯。

漢鄭玄　尚書注九卷　尚書五行傳注一卷　尚書略說注一卷
以上均袁鈞輯。

詩類

詩經傳說彙纂二十卷　序二卷　康熙六十年，王鴻緒等奉敕撰。

詩義折中二十卷　乾隆二十年，傅恒等奉敕撰。

詩經稗疏四卷　詩經考異一卷　詩廣傳五卷　王夫之撰。

田間詩學十二卷　錢澄之撰。

詩說簡正錄十卷　提橋撰。

詩經通義十二卷　朱鶴齡撰。

毛詩稽古篇三十卷　陳啟源撰。

詩問一卷　汪琬撰。

毛詩日箋六卷　秦松齡撰。

詩所八卷　李光地撰。

毛朱詩説一卷　閻若璩撰。

毛詩寫官記四卷　詩札二卷　國風省篇一卷　詩傳詩説駁義
　五卷

續詩傳鳥名三卷　白鷺洲主客説詩一卷　毛奇齡撰。

詩藴四卷　姜兆錫撰。

詩識名解十五卷　姚炳撰。

毛詩國風繹一卷　讀詩隨記一卷　陳遷鶴撰。

詩傳名物集覽十二卷　陳大章撰。

詩説三卷　附錄一卷　惠周惕撰。

詩經劄記一卷　楊名時撰。

陸堂詩學十二卷　陸奎勳撰。

讀詩質疑三十一卷　附錄十五卷　嚴虞惇撰。

朱子詩義補正八卷　方苞撰。

詩經測義四卷　李鍾橋撰。

毛詩類説二十一卷　續編三卷　顧棟高撰。

詩疑辨證六卷　黃中松撰。

毛詩説二卷　諸錦撰。

詩經詮義十五卷　汪紱撰。

毛詩名物圖説九卷　徐鼎撰。

詩經正解三十卷　姜文燦撰。

毛詩説四卷　莊存與撰。

詩細十二卷　毛詩草木鳥獸蟲魚疏校正二卷　趙佑撰。

虞東學詩十二卷　顧鎮撰。

三家詩拾遺十卷　詩瀋二十卷　范家相撰。

詩序補義二十四卷　姜炳章撰。

讀風偶識四卷　崔述撰。

毛詩廣義不分卷　紀昭撰。

毛鄭詩考正四卷　詩經補注二卷 　戴震撰。

詩經小學四卷　毛詩故訓傳三卷 　段玉裁撰。

童山詩說四卷 　李調元撰。

邶風說一卷 　龔景瀚撰。

詩志八卷 　牛運震撰。

詩考異字箋餘十四卷 　周邵蓮撰。

韓詩內傳徵四卷　敘錄二卷 　宋綿初撰。

韓詩外傳校注十卷 　宋廷寀撰。

毛詩考證四卷　周頌口義三卷 　莊述祖撰。

毛詩證讀不分卷　讀詩或問一卷 　戚學標撰。

三家詩補遺三卷 　阮元撰。

毛詩天文考一卷 　洪亮吉撰。

韓詩遺說二卷　訂譌一卷 　臧庸撰。

詩古訓十卷 　錢大昭撰。

詩譜補亡後訂一卷 　吳騫撰。

毛詩傳箋異義解十六卷 　沈鎬撰。

毛詩通說三十卷　補遺一卷 　任兆麟撰。

毛詩補疏五卷　毛詩地理釋四卷　陸璣毛詩疏考證一卷 　焦循撰。

三家詩遺說考一卷 　陳壽祺撰。

詩經補遺一卷 　郝懿行撰。

詩說二卷　待問二卷 　郝懿行妻王照圓撰。

詩氏族考六卷 　李超孫撰。

詩經異文釋十六卷 　李富孫撰。

詩序辨正八卷 　汪大任撰。

毛詩紬義二十四卷 　李黼平撰。

毛詩後箋三十卷 　胡承珙撰。

山中詩學記五卷　徐時棟撰。

三家詩異文疏證六卷　補遺三卷　續補遺二卷　馮登府撰。

重訂三家詩拾遺十卷　葉鈞撰。

多識録九卷　石韞玉撰。

毛鄭詩釋四卷　鄭氏詩譜考正一卷　詩考補注二卷　補遺一
　　卷　毛詩陸疏校正二卷　詩集傳附釋一卷　丁晏撰。

讀詩札記八卷　詩章句攷一卷　詩樂存亡譜一卷　朱子詩集
　　傳校勘記一卷　夏炘撰。

毛詩通考二十卷　毛詩識小三十卷　鄭氏詩譜考正一卷　林伯
　　桐撰。

毛詩禮徵十卷　包世榮撰。

齊詩翼氏學四卷　迮鶴壽撰。

讀詩小牘二卷　焦廷琥撰。

詩古微二十卷　魏源撰。

毛詩傳箋通釋三十二卷　馬瑞辰撰。

三家詩遺説考四十九卷　毛詩鄭箋改字説四卷　四家詩異文
　　考五卷　齊詩翼氏學疏證二卷　詩緯集證四卷　陳喬樅撰。

詩經集傳拾遺二卷　吳德旋撰。

詩名物證古一卷　達齋詩説一卷　讀韓詩外傳一卷　俞樾撰。

詩毛氏傳疏三十卷　鄭氏箋攷徵一卷　釋毛詩音四卷　毛詩
　　説一卷　毛詩傳義類一卷　陳奐撰。

詩小學三十卷　吳樹聲撰。

毛詩多識二卷　多隆阿撰。

詩學詳説三十卷　正詁五卷　顧廣譽撰。

詩地理徵七卷　朱右曾撰。

詩本誼一卷　龔橙撰。

詩經異文四卷　韓詩輯一卷　蔣曰豫撰。

毛詩序傳三十卷　毛詩讀三十卷　王劼撰。

毛詩異文箋十卷　陳玉樹撰。

毛詩譜一卷　胡元儀撰。

詩經通論一卷　皮錫瑞撰。

詩三家義集疏二十九卷　王先謙撰。

宋楊簡　慈湖詩傳二十卷

宋戴溪　續呂氏家塾讀詩記三卷

宋袁燮　絜齋毛詩經筵講義四卷

宋林岊　毛詩講義十二卷

元劉玉汝　詩纘緒十八卷　以上均乾隆三十八年，王際華等奉敕輯。

漢申培　魯詩故三卷

漢后蒼　齊詩傳三卷

漢韓嬰　詩故二卷　詩內傳一卷　詩說一卷

漢薛漢　韓詩章句二卷

漢侯苞　韓詩翼要一卷

漢馬融　毛詩注一卷

魏劉楨　毛詩義問一卷

魏王肅　毛詩注一卷　毛詩義駁一卷　毛詩奏事一卷　毛詩問難一卷

魏王基　毛詩駁一卷

吳韋昭　朱育　毛詩答雜問一卷

吳徐整　毛詩譜暢一卷

晉孫毓　毛詩異同評三卷

晉陳統　難孫氏毛詩評一卷

晉郭璞　毛詩拾遺一卷

晉徐邈　毛詩音一卷

齊劉瓛　毛詩序義一卷

宋周續之　毛詩周氏注一卷

梁簡文帝　毛詩十五國風義一卷

梁何胤　毛詩隱義一卷

梁崔靈恩　集注毛詩一卷

不著時代舒瑗　毛詩義疏一卷

不著時代撰人　毛詩草蟲經一卷　毛詩提綱一卷

後周沈重　毛詩義疏二卷

後魏劉芳　毛詩箋音義證一卷

隋劉炫　毛詩述義一卷

唐施士丐　詩説一卷　以上均馬國翰輯。

漢轅固　齊詩傳一卷

魏王基　毛詩申鄭義一卷　均黃奭輯。

漢鄭玄　毛詩譜一卷　王謨輯。

禮類

周官義疏四十八卷　乾隆十三年，鄂爾泰等奉敕撰。

周官筆記一卷　李光地撰。

周禮述注二十四卷　李光坡撰。

高註周禮二十卷　高愈撰。

周官辨非一卷　萬斯大撰。

周禮問二卷　毛奇齡撰。

周禮訓纂二十一卷　李鍾倫撰。

周禮節訓六卷　黃叔琳撰。

周官集注十二卷　周官析疑三十六卷　考工記析義四卷　周
　官辨一卷　方苞撰。

周官翼疏三十卷　沈淑撰。

周禮輯義十二卷　姜兆錫撰。

禮說十四卷　惠士奇撰。

周官記六卷　周官說二卷　周官說補三卷　莊存與撰。

周禮疑義舉要七卷　江永撰。

周禮精義十二卷　連斗山撰。

周官祿田考三卷　沈彤撰。

周官祿田考補正三卷　倪景曾撰。

考工記圖注二卷　戴震撰。

周禮軍賦說四卷　王鳴盛撰。

周禮漢讀考六卷　段玉裁撰。

田賦考一卷　任大椿撰。

考工記論文一卷　牛運震撰。

周禮故書考一卷　程際盛撰。

周禮故書疏證六卷　宋世犖撰。

車制圖考一卷　阮元撰。

車制考一卷　錢坫撰。

周官肊測六卷　敘錄一卷　孔廣林撰。

周禮學二卷　王聘珍撰。

周官故書考四卷　徐養原撰。

周禮畿內授田考實一卷　胡匡衷撰。

周官禮鄭氏注箋十卷　莊綬甲撰。

周禮學一卷　沈夢蘭撰。

周禮釋注二卷　丁晏撰。

考工輪輿私箋二卷　鄭珍撰。　圖一卷　珍子知同撰。

周官注疏小箋五卷　曾釗撰。

考工記考辨八卷　王宗涑撰。

周禮補注六卷　呂飛鵬撰。

周官參證二卷　王寶仁撰。

周禮正義八十六卷　孫詒讓撰。

宋王安石　周官新義十六卷　附　考工記解二卷

宋易祓　周官總義三十卷

元毛應龍　周官集傳十六卷　以上均乾隆三十八年，王際華等奉敕輯。

漢鄭興　周禮解詁一卷

漢鄭衆　周禮解詁六卷

漢杜子春　周禮注二卷

漢賈逵　周禮解詁一卷

漢馬融　周官傳一卷

漢鄭玄　周禮音一卷

晉干寶　周禮注一卷

晉徐邈　周禮音一卷

晉李軌　周禮音一卷

晉陳邵　周官禮異同評一卷

不著時代劉昌宗　周禮音二卷

聶氏　周禮音一卷

後周沈重　周官禮義疏一卷

陳戚袞　周禮音一卷　以上均馬國翰輯。

　　　以上禮類周禮之屬

儀禮義疏四十八卷　乾隆十三年，鄂爾泰等奉敕撰。

儀禮鄭注句讀十七卷　附　監本正誤一卷　張爾岐撰。

讀禮通考一百二十卷　徐乾學撰。

儀禮述注十七卷　李光坡撰。

儀禮商二卷　附錄一卷 <small>萬斯大撰。</small>

喪禮吾説篇十卷　三年服制考一卷 <small>毛奇齡撰。</small>

喪服翼注一卷 <small>閻若璩撰。</small>

儀禮章句十七卷 <small>吳廷華撰。</small>

儀禮節要二十卷 <small>朱軾撰。</small>

儀禮析疑十七卷　喪禮或問一卷 <small>方苞撰。</small>

儀禮經傳內編二十三卷　外編五卷 <small>姜兆錫撰。</small>

饗禮補亡一卷 <small>諸錦撰。</small>

朝廟宮室考十三卷　肆獻祼饋食禮三卷 <small>任啟運撰。</small>

禮經本義十七卷 <small>蔡德晉撰。</small>

儀禮釋宮增注一卷　儀禮釋例一卷 <small>江永撰。</small>

儀禮小疏一卷 <small>沈彤撰。</small>

儀禮管見十七卷 <small>褚寅亮撰。</small>

喪服文足徵記十卷 <small>程瑤田撰。</small>

儀禮注疏詳校十七卷 <small>盧文弨撰。</small>

儀禮漢讀考一卷 <small>段玉裁撰。</small>

儀禮集編四十卷 <small>盛世佐撰。</small>

儀禮今古文疏證二卷 <small>宋世犖撰。</small>

禮經釋例十三卷　目錄一卷 <small>凌廷堪撰。</small>

儀禮圖六卷　讀儀禮記二卷 <small>張惠言撰。</small>

冕服考四卷 <small>焦廷琥撰。</small>

儀禮今古文異同疏證五卷 <small>徐養原撰。</small>

儀禮校正十七卷 <small>黃丕烈撰。</small>

禮經宮室答問二卷 <small>洪頤煊撰。</small>

儀禮經注一隅一卷 <small>朱駿聲撰。</small>

儀禮釋官九卷　鄭氏儀禮目錄校正一卷 <small>胡匡衷撰。</small>

儀禮學一卷 <small>王聘珍撰。</small>

儀禮今古文疏義十七卷　胡承珙撰。

喪禮經傳約一卷　吳卓信撰。

儀禮正義四十卷　胡培翬撰。

儀禮宮室提綱一卷　胡培系撰。

儀禮經注疏正譌十七卷　金曰追撰。

儀禮禮服通釋六卷　凌曙撰。

儀禮釋注二卷　丁晏撰。

儀禮私箋八卷　鄭珍撰。

讀儀禮録一卷　曾國藩撰。

喪服會通説四卷　吳嘉賓撰。

士昏禮對席圖一卷　喪服私論一卷　俞樾撰。

昏禮重別論對駁義二卷　劉壽曾撰。

宋李如圭　儀禮集釋三十卷　儀禮釋宮一卷　以上均乾隆三十八年，王際華等奉敕輯。

蔡氏月令二卷　蔡雲輯。

漢戴德　喪服變除一卷

漢何休　冠禮約制一卷

漢鄭衆　昏禮一卷

漢馬融　喪服經傳注一卷

漢鄭玄　喪服變除一卷

漢劉表　新定禮一卷

魏王肅　喪經傳注一卷　喪服要記一卷

吳射慈　喪服變除圖一卷

晉杜預　喪服要集一卷

晉袁準　喪服經傳注一卷

晉孔倫　集注喪服經傳一卷

晋劉智　喪服釋疑一卷

晋蔡謨　喪服譜一卷

晋賀循　喪服譜一卷　葬禮一卷　喪服要記一卷

晋葛洪　喪服變除一卷

晋孔衍　凶禮一卷

不著時代陳銓　喪服經傳注一卷

謝徽　喪服要記注一卷

宋裴松之　集注喪服經傳一卷

宋雷次宗　略注喪服經傳一卷

宋崔凱　喪服難問一卷

宋周續之　喪服注一卷

齊王儉　喪服古今集記一卷

齊王逡之　喪服世行要記一卷　<small>以上均馬國翰輯。</small>

　　以上禮類儀禮之屬

日講禮記解義六十四卷　<small>乾隆元年敕編。</small>

禮記義疏八十二卷　<small>乾隆十三年敕撰。</small>

禮記章句四十九卷　<small>王夫之撰。</small>

深衣考一卷　<small>黃宗羲撰。</small>

禮記纂編六卷　<small>李光地撰。</small>

禮記述注二十八卷　<small>李光坡撰。</small>

禮記偶箋三卷　<small>萬斯大撰。</small>

廟制圖考四卷[①]　<small>萬斯同撰。</small>

陳氏禮記集説補正三十八卷　<small>納喇性德撰。</small>

曾子問講録四卷　檀弓訂誤一卷　<small>毛奇齡撰。</small>

---

①　“制”原誤作“朝”，據《清史稿藝文志及補編》改。

禮記章義十卷　姜兆錫撰。

禮記疑義十八卷　吳廷華撰。

禮記析疑四十六卷　喪禮或問一卷　方苞撰。

戴記緒言四卷　陸奎勳撰。

禮記章句十卷　或問四卷　汪紱撰。

禮記章句十卷　任啟運撰。

檀弓疑問一卷　邵泰衢撰。

禮記訓義擇言八卷　深衣考誤一卷　江永撰。

學禮闕疑八卷　劉青蓮撰。

續衛氏禮記集説一百卷　杭世駿撰。

禮記注疏考證一卷　齊召南撰。

禮記注疏校正一卷　盧文弨撰。

祭法記疑二卷　王元啟撰。

明堂大道錄八卷　禘説二卷　惠棟撰。

深衣釋例三卷　弁服釋例八卷　任大椿撰。

撫州本禮記鄭注考異二卷　張敦仁撰。

釋服二卷　宋綿初撰。

明堂考三卷　孫星衍撰。

明堂億一卷　孔廣林撰。

禮記鄭讀考四卷　禮記天算釋一卷　孔廣牧撰。

盧氏禮記解詁一卷　蔡氏月令章句一卷　臧庸撰。

禮記集解六十一卷　孫希旦撰。

七十二候考一卷　曹仁虎撰。

禮記補疏三卷　焦循撰。

禮記説八卷　楊秉杷撰。

禮記異文釋八卷　李富孫撰。

禮記箋四十九卷　郝懿行撰。

禮記宮室答問二卷　洪頤煊撰。

燕寢考三卷　胡培翬撰。

禮記經注正譌六十三卷　金曰追撰。

禮記訓纂四十九卷　朱彬撰。

禮記釋注四卷　投壺考原一卷　丁晏撰。

檀弓辨誣三卷　夏炘撰。

禮記鄭讀考六卷　陳喬樅撰。

禮記質疑四十九卷　郭嵩燾撰。

禮記異文箋一卷　禮記鄭讀考一卷　七十二候考一卷　俞樾撰。

禮記集解補義一卷　方宗誠撰。

禮記淺說二卷　皮錫瑞撰。

宋張慮　月令解十二卷

宋袁甫　蒙齋中庸講義四卷　以上均乾隆三十八年，王際華等奉敕輯。

漢馬融　禮記注一卷

漢盧植　禮記注一卷

漢荀爽　禮傳一卷

漢蔡邕　月令章句一卷　月令問答一卷

魏王肅　禮記注一卷

魏孫炎　禮記注一卷

不著時代謝氏　禮記音義隱一卷

晉范宣　禮記音一卷

晉徐邈　禮記音一卷

不著時代劉昌宗　禮記音一卷

宋庾蔚之　禮記略解一卷

梁何胤　禮記隱義一卷

梁賀瑒　禮記新義疏一卷

梁皇侃　禮記義疏四卷

後魏劉芳　禮記義證一卷

後周沈重　禮記義疏一卷

後周熊安生　禮記義疏四卷

唐成伯璵　禮記外傳一卷　以上均馬國翰輯。

唐明皇　月令注釋一卷　黃奭輯。

吳射慈　禮記音義隱一卷

漢蔡邕　明堂月令論一卷

漢崔寔　四民月令一卷　以上均王謨輯。

　　以上禮類禮記之屬

夏小正解一卷　徐世溥撰。

曾子問天員篇一卷　梅文鼎撰。

夏小正註一卷　黃叔琳撰。

夏小正詁一卷　諸錦撰。

夏小正輯注四卷　范家相撰。

夏小正考注一卷　畢沅撰。

曾子注釋四卷　阮元撰。

大戴禮記補注十三卷　敘錄一卷　孔廣森撰。

夏小正經傳考釋十卷　莊述祖撰。

夏小正傳校正三卷　孫星衍撰。

大戴禮解詁十三卷　敘錄一卷　王聘珍撰。

大戴禮記正誤一卷　汪中撰。

夏小正分箋四卷　異義二卷　黃謨撰。

大戴禮記箋證五卷　胡培系撰。

大戴禮記補注十三卷　目錄一卷　附錄一卷　汪照撰。

大戴禮記考一卷　吳文起撰。

夏小正傳箋四卷　公符篇考一卷 王謨撰。

夏小正補注四卷 任兆麟撰。

夏小正補傳三卷 朱駿聲撰。

夏小正經傳通釋四卷 梁章鉅撰。

夏時考五卷 安吉撰。

夏時考一卷 劉逢禄撰。

夏小正經傳考二卷　本義四卷 雷學淇撰。

夏小正集解四卷　校録一卷 顧鳳藻撰。

孔子三朝記七卷　目録一卷 洪頤煊撰。

夏小正疏義四卷　附　釋音異字記一卷 烘震煊撰。

夏小正正義四卷 王筠撰。

夏小正箋疏四卷 馬徵麐撰。

夏小正集說四卷 程鴻詔撰。

夏時考一卷 鄭曉如撰。

夏小正戴氏傳訓解四卷　考異一卷　通論一卷 王寶仁撰。

夏小正私箋一卷 吳汝綸撰。

　　以上禮類大戴禮之屬

學禮質疑二卷　宗法論一卷 萬斯大撰。

讀禮志疑十三卷　禮經會元疏解四卷 陸隴其撰。

郊社禘祫問一卷　北郊配位尊西向義一卷　昏禮辨正一卷
大小宗通繹一卷　明堂問一卷　廟制折衷一卷　學校問一卷
毛奇齡撰。

參讀禮志疑二卷 汪紱撰。

釣臺遺書四卷 任啟運撰。

禮經質疑二卷 杭世駿撰。

稽禮辨論一卷 劉凝撰。

三禮鄭注考一卷　程際盛撰。

禮箋三卷　金榜撰。

禮學卮言六卷　孔廣森撰。

五服異同彙考二卷　崔述撰。

禘祫觴解篇一卷　孔廣林撰。

三禮義證十卷　武億撰。

白虎通闕文一卷　莊述祖撰。

三禮圖三卷　孫星衍、嚴可均同撰。

禮説四卷　凌曙撰。

鄭氏三禮目録一卷　臧庸撰。

禘祫答問一卷　胡培翬撰。

禮堂經説二卷　陳喬樅撰。

三禮陳數求義三十卷　陳喬蔀撰。

四禘通釋三卷　崔適撰。

白虎通疏證十二卷　陳立撰

三禮通釋二百八十卷　林昌彝傈。

求古録禮記五卷　補遺一卷　金鶚撰。

求古録禮説校勘記三卷　王士駿撰。

學禮管釋十八卷　三綱制服述義三卷　夏炘撰。

佚禮扶微五卷　丁晏撰。

禮經通論一卷　邵懿辰撰。

積石禮説三卷　張履撰。

禮説二卷　吳嘉賓撰。

鄭康成駁正三禮考一卷　玉佩考一卷　俞樾撰。

禮書通故五十卷　禮説略三卷　黃以周撰。

經述三卷　林頤山撰。

漢戴聖　石渠禮論一卷

漢鄭玄　魯禮禘祫志一卷　三禮圖一卷

魏董勛　問禮俗一卷

晉盧諶　雜祭法一卷

晉范汪　祭典一卷

晉干寶　後養義一卷

晉范甯　禮雜問一卷

晉范宣　禮論難一卷

晉吳商　禮雜議一卷

宋顏延之　逆降義一卷

宋徐廣　禮論答問一卷

宋何承天　禮論一卷

宋任豫　禮論條牒一卷

齊王儉　禮義答問一卷

齊荀萬秋　禮論鈔略一卷

梁賀述　禮統一卷

梁周捨　禮疑義一卷

梁崔靈恩　三禮義宗四卷

後魏李謐　明堂制度論一卷

不著時代梁正　三禮圖一卷

唐張鎰　三禮圖一卷

唐元行沖　釋疑論一卷　以上均馬國翰輯。

漢叔孫通　禮器制度一卷。

漢鄭玄　三禮目錄一卷

晉孫毓　五禮駁一卷　以上均王謨輯。

漢鄭玄　答臨碩難禮一卷　袁鈞輯。

　　以上禮類總義之屬

朱子禮纂五卷　李光地撰。

辨定祭禮通俗譜五卷　家禮辨説十六卷　毛奇齡撰。

讀禮偶見二卷　許三禮撰。

呂氏四禮翼一卷　朱軾撰。

禮學彙編七十卷　應撝謙撰。

禮樂通考三十卷　胡掄撰。

禮書綱目八十五卷　江永撰。

六禮或問十二卷　汪紱撰。

四禮甯儉編一卷　王心敬撰。

五禮通考二百六十二卷　秦蕙田撰。

五禮經傳目五卷　沈廷芳撰。

冠昏喪祭儀考十二卷　林伯桐撰。

三禮從今三卷　黃本驥撰。

四禮權疑八卷　顧廣譽撰。

　　以上禮類通禮之屬

樂類

律呂正義五卷　康熙五十二年御撰。

律呂正義後編一百二十卷　乾隆十一年敕撰。

詩經樂譜三十卷　樂律正俗一卷　乾隆五十三年敕撰。

樂律二卷　薛鳳祚撰。

大成樂律一卷　孔貞瑄撰。

古樂經傳五卷　李光地撰。

聖諭樂本解説二卷　皇言定聲録八卷　竟山樂録四卷　毛奇
　齡撰。

古樂書二卷　應撝謙撰。

李氏學樂録二卷　李璉撰。

昭代樂章恭紀一卷　張廷玉撰。

易律通解八卷　沈光邦撰。

樂律古義二卷　童能靈撰。

樂經律呂通解五卷　樂經或問三卷　汪紱撰。

樂律表微八卷　胡彦昇撰。

琴旨三卷　王坦撰。

律呂新論二卷　律呂闡微十卷　江永撰。

律呂考略一卷　孔毓焞撰。

大樂元音七卷　潘士權撰。

律呂古義六卷　錢塘撰。

燕樂考原六卷　晉泰始笛律匡謬一卷　凌廷堪撰。

樂懸考二卷　江藩撰。

樂譜一卷　任兆麟撰。

律呂臆説一卷　荀勗笛律圖註一卷　管色考一卷　徐養原撰。

古律經傳附考六卷　紀大奎撰。

樂志輯略三卷　倪元坦撰。

音分古義二卷　附一卷　戴煦撰。

聲律通考十卷　陳澧撰。

律呂通今圖説一卷　律易一卷　音調定程一卷　繆闓撰。

元熊朋來　瑟譜六卷

元余載　韶舞九成樂補一卷

元劉瑾　律呂成書二卷　以上均乾隆三十八年,王際華等奉敕輯。

漢陽城子　長樂經一卷

漢劉向　樂記一卷

漢劉德　樂元語一卷

漢揚雄　琴清英一卷

梁武帝　樂社大義一卷　鍾律緯一卷

陳僧智匠　古今樂錄一卷

後魏信都芳　樂書一卷

後周沈重　樂律義一卷

不著時代撰人　樂部一卷　琴歷一卷

隋蕭吉　樂譜集解一卷

唐趙惟暕　琴書一卷　以上均馬國翰輯。

漢劉歆鍾律書一卷

漢蔡邕　琴操一卷　以上均黃奭輯。

春秋類

左傳讀本三十卷　道光三年，英和等奉敕編。

左傳杜解補正三卷　顧炎武撰。

續春秋左氏傳博議四卷　王夫之撰。

讀左日鈔十二卷　補錄二卷　朱鶴齡撰。

左傳事緯十二卷　附錄八卷　馬驌撰。

春秋地名考略十四卷　高士奇撰。

春秋國都爵姓考一卷　補一卷　陳鵬撰。

春秋分年繫傳表一卷　翁方綱撰。

春秋左傳事類年表一卷　顧宗瑋撰。

春秋長曆十卷　春秋世族譜一卷　陳厚耀撰。

春秋識小錄九卷　程廷祚撰。

春秋左傳補注六卷　惠棟撰。

春秋地理考實四卷　江永撰。

讀左補義五十卷　姜炳璋撰。

春秋左傳小疏一卷　沈彤撰。

春秋左傳古經十二卷　附　五十凡一卷　段玉裁撰。

春秋左傳會要四卷　左傳官名考二卷　李調元撰。

春秋左傳詁五十卷　春秋十論一卷　洪亮吉撰。

春秋列國官名異同考一卷　汪中撰。

左通補釋三十二卷　梁履繩撰。

春秋左傳分國土地名二卷　春秋列國職官一卷　春秋器物宮
室一卷　沈淑撰。

左傳劉杜持平六卷　邵英撰。

春秋名字解詁二卷　王引之撰。

春秋左氏補疏五卷　焦循撰。

讀左卮言一卷　石韞玉撰。

左氏春秋考證二卷　劉逢禄撰。

春秋左傳補注三卷　馬宗槤撰。

左傳識小録一卷　朱駿聲撰。

春秋左傳補注十二卷　考異十卷　左傳地名補注十二卷　沈欽
韓撰。

春秋左氏古義六卷　臧壽恭撰。

左傳賈服注輯述二十卷　李貽德撰。

左傳杜注辨正六卷　張聰咸撰。①

春秋國都爵姓續考一卷　曾釗撰。

左傳舊疏考正八卷　劉文淇撰。

春秋名字解詁補義一卷　俞樾撰。

春秋世族譜拾遺一卷　成蓉鏡撰。

---

① 　“聰”原作“總”，據《清碑傳合集·張先生聰咸傳》及《清史稿藝文志及補編》改。

春秋名字解詁駁一卷　胡元玉撰。

補春秋僖公事闕書一卷　桑宣撰。

晉杜預　春秋釋例十五卷

宋呂祖謙　春秋左氏傳續說十二卷　以上均乾隆三十八年，王際華等奉
　敕輯。

漢劉歆　春秋左氏傳章句一卷

漢賈逵　春秋左氏傳解詁二卷　春秋左氏傳長經章句一卷

漢服虔　春秋左傳解誼四卷

漢彭汪　左氏奇說一卷

漢許淑　春秋左傳注一卷

魏董遇　春秋左氏經傳章句一卷

魏王肅　春秋左傳注一卷

魏嵇康　春秋左傳音一卷

晉孫毓　春秋左氏傳義注一卷

晉干寶　左氏傳函義一卷

陳沈文阿　春秋左氏經傳義略一卷

陳王元規　續春秋左氏經傳義略一卷

不著時代蘇寬　春秋左氏傳義疏一卷　以上均馬國翰輯。

隋劉炫　左氏傳述義一卷　黃奭輯。

漢劉玄　春秋傳服氏注十二卷　袁鈞輯。

　　　以上春秋類左傳之屬

春秋正辭十一卷　春秋舉例一卷　春秋要指一卷　莊存與撰。

公羊墨史二卷　周拱辰撰。

春秋公羊通義十一卷　叙一卷　孔廣森撰。

公羊何氏釋例十卷　公羊何氏解詁箋一卷　發墨守評一卷

箴膏肓評一卷　穀梁廢疾申何二卷　<small>劉逢禄撰。</small>

公羊補注一卷　<small>馬宗槤撰。</small>

公羊禮疏十一卷　公羊禮説一卷　公羊答問二卷　春秋繁露注十七卷　<small>凌曙撰。</small>

春秋決事比一卷　<small>龔自珍撰。</small>

公羊義疏七十六卷　<small>陳立撰。</small>

公羊注疏質疑二卷　<small>何若瑤撰。</small>

公羊曆譜十一卷　<small>包慎言撰。</small>

公羊逸禮考徵一卷　<small>陳奐撰。</small>

漢董仲舒　春秋決事一卷

漢嚴彭祖　公羊春秋一卷

漢顔安樂　春秋公羊記一卷

漢何休　春秋公羊文諡例一卷　<small>以上均馬國翰輯。</small>

　　以上春秋類公羊之屬

穀梁釋例四卷　<small>許桂林撰。</small>

穀梁大義述三十卷　<small>柳興恩撰。</small>

穀梁禮證二卷　<small>侯康撰。</small>

穀梁經傳補注二十四卷　<small>鍾文烝撰。</small>

漢尹更始　春秋穀梁傳章句一卷

漢劉向　春秋穀梁傳說一卷

魏糜信　春秋穀梁注一卷

晉徐邈　春秋穀梁傳注義一卷　音一卷

晉范甯　薄叔元問穀梁義一卷

晉鄭嗣　春秋穀梁傳說一卷　<small>以上均馬國翰輯。</small>

晋范甯　穀梁傳例一卷　黄奭輯。

　　以上春秋類穀梁之屬

春秋傳説彙纂三十八卷　康熙三十八年,王掞等奉敕撰。

日講春秋解義六十四卷　雍正七年敕撰。

春秋直解十六卷　乾隆二十三年,傅恒等奉敕撰。

春秋稗疏二卷　春秋家説三卷　春秋世論五卷　王夫之撰。

春秋平義十二卷　春秋四傳糾正一卷　俞汝言撰。

春秋傳議四卷　張爾岐撰。

學春秋隨筆十卷　萬斯大撰。

春秋大義　春秋隨筆共一卷　春秋燬餘四卷　李光地撰。

春秋毛氏傳三十六卷　春秋簡書刊誤二卷　春秋屬辭比事記
　四卷

春秋占筮書三卷　春秋條貫篇十一卷　毛奇齡撰。

春秋集解十二卷　校補春秋集解緒餘一卷　春秋提要補遺一
　卷　應撝謙撰。

春秋參義十二卷　春秋事義慎考十四卷　公穀彙義十二卷　姜
　兆錫撰。

春秋管窺十二卷　徐庭垣撰。

春秋三傳異同考一卷　吳陳琰撰。

春秋遵經集説二十八卷　邵鍾仁撰。

三傳折諸四十四卷　張尚瑗撰。

春秋闕如編八卷　小國春秋一卷　焦袁熹撰。

春秋宗朱辨義十二卷　張自超撰。

春秋通論四卷　春秋義法舉要一卷　春秋比事目録四卷　春
　秋直解十二卷　方苞撰。

半農春秋説十五卷　惠士奇撰。

春秋義十五卷　孫嘉淦撰。

春秋大事表五十卷　輿圖一卷　附錄一卷　顧棟高撰。

春秋七國統表六卷　魏翼龍撰。

春秋義存錄十二卷　陸奎勳撰。

春秋日食質疑一卷　吳守一撰。

春秋集傳十六卷　首末各一卷　汪紱撰。

空山堂春秋傳十二卷　牛運震撰。

春秋原經二卷　王心敬撰。

春秋深十九卷　許伯政撰。

春秋一得一卷　闔循觀撰。

三正考二卷　吳鼐撰。

春秋三傳定說十二卷　張甄陶撰。

春秋夏正二卷　胡天游撰。

春秋究遺十六卷　葉酉撰。

春秋隨筆二卷　顧奎光撰。

春秋三傳雜案十卷　讀春秋存稿四卷　趙佑撰。

三傳補注三卷　姚鼐撰。

春秋三傳比二卷　李調元撰。

春秋疑義二卷　華學泉撰。

公穀異同合評四卷　沈赤然撰。

春秋經傳朔閏表二卷　姚文田撰。

春秋說略十二卷　春秋比二卷　郝懿行撰。

春秋目論二卷　鄧顯鶴撰。

三傳異同考一卷　陳萊孝撰。

春秋經傳比事二十二卷　林春溥撰。

春秋三家異文覈一卷　春秋亂賊考一卷　朱駿聲撰。

春秋三傳異文釋十三卷　李富孫撰。

春秋屬辭辨例編六十卷 張應昌撰。

春秋上律表四卷 范景福撰。

春秋至朔通考四卷 張冕撰。

駮正朔考一卷 陳鍾英撰。

春秋三傳異文箋四卷 趙坦撰。

春秋新義十二卷　春秋歲星表一卷　日食星度表一卷　日表一卷 朱兆熊撰。

春秋釋地韻編五卷 徐壽基撰。

春秋述義拾遺九卷　春秋規過考信九卷 陳熙晉撰。

春秋古經説二卷 侯康撰。

達齋春秋論一卷　春秋歲星考一卷　春秋古本分年考一卷 俞樾撰。

春秋朔閏異同考三卷 羅士琳撰。

春秋鑽燧四卷 曹金籀撰。

春秋經傳朔閏表發覆四卷　推春秋日食法一卷 施彥士撰。

春秋日月考四卷 譚澐撰。

春秋朔閏日食考二卷 宋慶雲撰。

春秋釋一卷 黄式三撰。

春秋測義三十五卷 强汝詢撰。

春秋説一卷 陶正靖撰。

春秋傳正誼四卷 方宗誠撰。

春秋日南至譜一卷 成蓉鏡撰。

春秋説二卷 鄭杲撰。

宋劉敞　春秋傳説例一卷

宋蕭楚　春秋辨疑四卷

宋崔子方　春秋經解十二卷　春秋例要一卷

宋張大亨　春秋通訓六卷

宋葉夢得　春秋考十六卷　春秋讞二十二卷

宋高閌①　春秋集注四十卷

宋戴溪　春秋講義四卷

宋洪咨夔　春秋說三十卷

元程端學　春秋三傳辨疑二十卷　以上均乾隆三十八年王際華等奉敕輯。

春秋大傳一卷

漢鄭眾　春秋牒例章句一卷

漢馬融　春秋三傳異同說一卷

漢戴宏　解疑論一卷

漢穎容　春秋釋例一卷

晉劉兆　春秋公羊穀梁傳解詁一卷

晉江熙　春秋公羊穀梁二傳評一卷

晉京相璠　春秋土地名一卷

後魏賈思同　春秋傳駁一卷

隋劉炫　春秋述義一卷　春秋規過一卷　春秋攻昧一卷

不著时代撰人　春秋井田記一卷

唐啖助　春秋集傳一卷

唐趙匡　春秋闡微纂類義統一卷

唐陸希聲　春秋通例一卷

唐陳岳　春秋折衷論一卷　以上均馬國翰輯。

漢嚴彭祖　春秋盟會圖一卷

晉樂資　春秋後傳一卷　以上均黃奭輯。

漢鄭玄　箴膏肓一卷　起廢疾一卷　發墨守一卷　以上均王復、武億同輯。

---

①　"閌"原作"閌"，據《清史稿藝文志及補編》、《四庫全書》本書所題作者改。

以上春秋類通義之屬

孝經類

孝經注一卷 順治十三年御撰。

孝經集注一卷 雍正五年敕撰。

欽定繙譯孝經一卷 雍正五年敕撰。

孝經全注一卷 李光地撰。

孝經問一卷 毛奇齡撰。

孝經類解十八卷 吳之騄撰。

孝經正文一卷　内傳一卷　外傳一卷 李之素撰。

孝經集注二卷 陸遇霖撰。

孝經詳說二卷 冉覲祖撰。

孝經注三卷 朱軾撰。

孝經三本管窺三卷 吳隆元撰。

孝經章句一卷　或問一卷 汪紱撰。

孝經章句一卷 任啟運撰。

孝經通義一卷 華玉淳撰。

孝經約義一卷 汪帥韓撰。

孝經外傳一卷　孝经中文一卷 周春撰。

孝經音義考證一卷 盧文弨撰。

孝經通釋十卷 曹庭棟撰。

孝經鄭注補證一卷 洪頤煊撰。

孝經義疏補九卷 阮福撰。

孝經述注一卷　孝經徵文一卷 丁晏撰。

孝經曾子大孝一卷 邵懿辰撰。

孝經指解補正一卷　辨異一卷 伊樂堯撰。

孝經今古文傳注輯論一卷　<small>吳大廷撰。</small>

孝經十八章輯傳一卷　<small>汪宗沂撰。</small>

孝經鄭注疏二卷　<small>皮錫瑞撰。</small>

明項霦孝經述注一卷　<small>乾隆三十八年王際華等奉敕輯。</small>

周魏文侯　孝經傳一卷

漢后蒼　孝經説一卷

漢張禹　孝經安昌侯説一卷

漢長孫氏　孝經説一卷

魏王肅　孝經解一卷

吳韋昭　孝經解讚一卷

晉殷仲文　孝經注一卷

晉謝萬　集解孝經一卷

齊永明諸王　孝經講義一卷

齊劉瓛　孝經説一卷

梁武帝　孝經義疏一卷

梁嚴植之　孝經注一卷

梁皇侃　孝經義疏一卷

隋劉炫　古文孝經述義一卷

隋魏真已　孝經訓注一卷

唐元行冲　御注孝經疏一卷　<small>以上均馬國翰輯。</small>

漢鄭玄　孝經注一卷　<small>袁鈞輯。</small>

四書類

日講四書解義二十六卷　<small>康熙十六年庫勒納奉敕撰。</small>

繙譯四書集注二十九卷　<small>乾隆二十年敕譯。</small>

四書近指二十卷　<small>孫奇逢撰。</small>

大學講義一卷　中庸講義二卷　朱用純撰。

孟子師説二卷　黃宗羲撰。

四書訓義三十八卷　讀四書大全説十七卷　四書稗疏一卷
　四書考異一卷　王夫之撰。

四書反身録十四卷　續録二卷　李顒撰。

四書翊注四十二卷　刁包撰。

四書講義困勉録三十七卷　續困勉録六卷　松陽講義十二卷
　三魚堂四書大全四十卷　陸隴其撰。

大學古本説一卷　中庸章段一卷　中庸餘論一卷　讀論語劄
　記二卷　讀孟子劄記二卷　李光地撰。

四書述十九卷　陳詵撰。

四書貫一解十二卷　関嗣同撰。

論語稽求篇七卷　四書賸言四卷　補二卷　大學證文四卷
　四書改錯二十二卷　四書索解四卷　大學知本圖説一卷
　大學問一卷　中庸説五卷　逸講箋三卷　毛奇齡撰。

四書釋地一卷　續一卷　又續二卷　三續二卷　孟子生卒年
　月考一卷　閻若璩撰。

四書朱子異同條辨四十卷　李沛霖、李楨撰。

四書諸儒輯要四十卷　李沛霖撰。

大學傳注四卷　中庸傳注一卷　論語傳注二卷　傳注問一卷
　李塨撰。

四書劄記四卷　辟雍講義一卷　大學講義二卷　中庸講義二
　卷　楊名時撰。

四書講義四十三卷　吕留良撰。

大學困學録一卷　中庸困學録一卷　王澍撰。

成均講義不分卷　孫嘉淦撰①。

大學翼真七卷　胡渭撰。

此木軒四書説九卷　焦袁熹撰。

大學説一卷　惠士奇撰。

四書詮義十五卷　汪紱撰。

中庸解一卷　任大任撰。

四書録疑三十九卷　陳綽撰。

四書本義匯参四十五卷　王步青撰。

論語説二卷　桑調元撰。

四書約旨十九卷　任啟運撰。

論語隨筆二十卷　牛運震撰。

論語附記二卷　孟子附記二卷　翁方綱撰。

四書温故録十一卷　趙佑撰。

四書逸箋六卷　程大中撰。

四書注説参證七卷　胡清焌撰。

鄉黨圖考十卷　江永撰。

魯論説三卷　程廷祚撰。

四書考異總考三十六卷　條考三十六卷　翟灝撰。

論語補注三卷　劉開撰。

論語駢枝一卷　劉台拱撰。

孟子字義疏證三卷　戴震撰。

論語後録五卷　錢坫撰。

論語餘説一卷　崔述撰。

中庸注一卷　惠棟撰。

四書摭餘説七卷　曹之升撰。

---

①　“淦”原作“金”，據《清史稿藝文志及補編》《清碑傳合集·孫文定公嘉淦墓表》改。

四書偶談二卷　戚學標撰。

四書考異句讀一卷　武億撰。

四書拾義五卷　明紹勳撰。

孟子四考四卷　周廣業撰。

孟子七國諸侯年表一卷　張宗泰撰。

論語偶記一卷　方觀旭撰。

論語竢質三卷　江聲撰。

孟子時事略一卷　任兆麟撰。

論語古訓十卷　陳鱣撰。

論語異文考證十卷　馮登府撰。

論語補疏三卷　論語通釋一卷　孟子正義三十卷　焦循撰。

讀論質疑一卷　石韞玉撰。

四書瑣語一卷　姚文田撰。

論語説義十卷　孟子趙注補正六卷　四書釋地辨證二卷　大
　學古義説二卷　宋翔鳳撰。

論語魯讀考一卷　徐養原撰。

大學舊文考證一卷　中庸舊文考證一卷　朱曰佩撰。

論語旁證二十卷　梁章鉅撰。

論語類考二十卷　孟子雜記四卷　陳士元撰。

四書拾遺五卷　孟子外書補證四卷　林春溥撰。

論語孔注辨僞二卷　沈濤撰。

鄉黨正義一卷　金鶚撰。

六書叚借經徵四卷　朱駿聲撰。

孟子音義考證二卷　蔣仁榮撰。

論語述何二卷　四書是訓十五卷　劉逢禄撰。

論語古解十卷　梁廷柟撰。

孟子學一卷　沈夢蘭撰。

四書地理考十一卷　王鎏撰。

四書釋地補一卷　續補一卷　又續補一卷　三續補一卷　樊廷枚撰。

四書典故覈三卷　凌曙撰。

大學臆古一卷　附　古今文附證一卷　中庸臆測二卷　王定柱撰。

四書說略四卷　王筠撰。

論語集注附考一卷　丁晏撰。

讀孟子劄記二卷　羅澤南撰。

孟子班爵祿疏證十六卷　正經界疏證六卷　連鶴壽撰。

論語正義二十卷　劉寶楠撰。

大學質疑一卷　中庸質疑二卷　郭嵩燾撰。

論語古注集箋十卷　考一卷　潘維城撰。

論語古注擇從一卷　論語鄭義一卷　何邵公論語義一卷　續論語駢枝一卷　論語小言一卷　孟子古注擇從一卷　孟子高氏義一卷　孟子纘義一卷　四書辨疑辨一卷　俞樾撰。

論語注二十卷　戴望撰。

何休注訓論語述一卷　劉恭冕撰。

論語後案二十卷　黃式三撰。

讀孟子質疑二卷　孟子外書集證五卷　施彥士撰。

論語集解校補一卷　蔣曰豫撰。

讀大學中庸筆記二卷　讀論孟筆記二卷　補記一卷　方宗誠撰。

朱子論語集注訓詁考二卷　潘衍桐撰。

宋余允文　尊孟辨三卷　續辨二卷　別錄一卷　以上乾隆三十八年王際華等奉敕輯。

古論語十卷

齊論語一卷

漢孔安國　論語訓解十一卷

漢包咸　論語章句二卷

漢周氏　論語章句一卷

漢馬融　論語訓説一卷

漢鄭玄　論語注十卷　論語孔子弟子目録一卷

魏陳羣　論語義説一卷

魏王朗　論語説一卷

魏王肅　論語義説一卷

魏周生烈　論語義説一卷

魏王弼　論語釋疑一卷

晉譙周　論語注一卷

晉衛瓘　論語集注一卷

晉繆播　論語旨序一卷

晉繆協　論語説一卷

晉郭象　論語體略一卷

晉欒肇　論語釋疑一卷

晉虞喜　論語讚注一卷

晉庾翼　論語釋一卷

晉李充　論語集注二卷

晉范甯　論語注一卷

晉孫綽　論語集解一卷

晉梁凱　論語注釋一卷

晉袁喬　論語注一卷

晉江熙　論語集解二卷

晉殷仲堪　論語解釋一卷

晉張憑　論語注一卷

晋蔡謨　論語注解一卷

宋顔延之　論語説一卷

宋僧慧琳　論語説一卷

齊沈驎士　論語訓注一卷

齊顧歡　論語注一卷

梁武帝　論語注一卷

梁太史叔明　論語注一卷

梁褚仲都　論語義疏一卷

不著時代沈峭　論語説一卷

熊埋　論語説一卷

不著時代撰人　論語隱義注　一卷

漢趙岐　孟子章指二卷　篇叙一卷

漢程曾　孟子章句一卷

漢高誘　孟子章句一卷

漢劉熙　孟子注一卷

漢鄭玄　孟子注一卷

晋綦母邃　孟子注一卷

唐陸善經　孟子注一卷

唐張鎰　孟子音義一卷

唐丁公著　孟子手音一卷　以上馬國翰輯。

逸論語一卷　趙在翰輯。

逸語十卷　曹庭棟輯。

逸孟子一卷　李調元輯。

經總義類

繙譯五經五十八卷　乾隆二十年敕譯。

五經翼二十卷　孫承澤撰。

墨庵經學不分卷　沈起撰。

經問十八卷　經問補三卷　毛奇齡撰。

松源經説四卷　孫之騄撰。

七經同異考三十四卷　韋庵經説一卷　周象明撰。

此木軒經説彙編六卷　焦袁熹撰。

十三經義疑十二卷　吳浩撰。

經義雜記三十卷　臧琳撰。

經稗六卷　鄭方坤撰。

經玩二十卷　沈淑撰。

朱子五經語類八十卷　程川撰。

經咫一卷　陳祖範撰。

經言拾遺十四卷　徐文靖撰。

考信録三十六卷　讀經餘論二卷　崔述撰。

古經解鉤沈三十卷　余蕭客撰。

易堂問目四卷　吳鼎撰。

九經説十七卷　姚蕭撰。

羣經補義五卷　江永撰。

羣經互解一卷　馮經撰。

十三經札記二十二卷　朱亦棟撰。

經學卮言六卷　孔廣森撰。

經傳小記三卷　漢學拾遺一卷　劉台拱撰。

九經古義十六卷　惠棟撰。

經考六卷　戴震撰。

通蓺録四十八卷　程瑤田撰。

羣經釋地六卷　呂調陽撰①。

五經小學述二卷　莊述祖撰。

羣經識小八卷　李惇撰。

經義知新記一卷　汪中撰。

詩書古訓八卷　阮元撰。

浙士解經錄五卷　阮元編。

周人經説四卷　王氏經説六卷　王紹蘭撰。

九經學三卷　王聘珍撰。

五經異義疏證三卷　左海經辨二卷　陳壽祺撰。

邃雅堂學古錄七卷　姚文田撰。

經義述聞三十二卷　經傳釋詞十卷　王引之撰。

五經要義一卷　五經通義一卷　宋翔鳳撰。

羣經宮室圖二卷　焦循撰。

頑石廬經説十卷　徐養原撰。

經義未詳説五十四卷　徐卓撰。

十七史經説十二卷　張養吾撰。

經義叢鈔三十卷　嚴杰編。

鳳氏經説三卷　鳳韶編。

介庵經説十卷　雷學淇撰。

十三經詁答問六卷　馮登府撰。

説緯六卷　王崧撰。

安甫遺學三卷　江承之撰。

實事求是齋經説二卷　朱大韶撰。

讀經説一卷　丁晏撰。

---

①　"呂調陽"原作"呂吳"，據《觀象廬叢書》所題作者名改。按:《清史稿藝文志及補編》作"呂吳調陽"。

玉函山房目耕帖三十一卷　馬國翰撰。

漢儒通義七卷　陳澧撰。

娛親雅言六卷　嚴元照撰。

經傳考證八卷　朱彬撰。

十三經客難五十五卷　龔元玠撰。

一鐙精舍甲部稿五卷　何秋濤撰。

羣經平議三十五卷　茶香室經説十五卷　詁經精舍自課文二
　　卷　經課續編八卷　羣經賸義一卷　達齋叢説一卷　俞樾撰。

開有益齋經説五卷　朱緒曾撰。

讀書偶識十一卷①　鄒漢勳撰。

貴陽經説一卷　經説殘稿一卷　劉書年撰。

巢經巢經説一卷　鄭學録三卷　鄭珍撰。

儆居經説四卷　黃式三撰。

愚一録十二卷　鄭獻甫撰。

敩經筆記一卷　陳倬撰。

隸經賸義一卷　林兆豐撰。

鄭志考證一卷　成蓉鏡撰。

漢碑徵經一卷　朱百度撰。

漢孳室經説一卷　陶方琦撰。

經説略二卷　黃以周撰。

操觚齋遺書四卷　管禮耕撰。

經窺四卷　蔡以盛撰。

九經誤字一卷　五經同異三卷　顧炎武撰。

助字辨略五卷　劉淇撰。

十三經注疏正字八十一卷　沈廷芳撰。

---

①　“識”原誤作“志”，據《皇清經解續編》本書所題書名、《清史稿藝文志及補編》改。

注疏考證六卷　齊召南撰。

九經辨字瀆蒙十二卷　沈炳震撰。

經典釋文考證三十卷　盧文弨撰。

經典文字考異一卷　錢大昕撰。

羣經義證八卷　經讀考異八卷　補一卷　句讀叙述二卷　補一卷　武億撰。

經典文字辨正五卷　畢沅撰。

十三經注疏校勘記二百十七卷　孟子音義校勘記一卷　釋文校勘記二十五卷　阮元撰。

羣經字考四卷　曾廷枚撰。

十經文字通正書十四卷　錢坫撰。

經苑不分卷　錢儀吉撰。

七經異文釋五十卷　李富孫撰。

羣經字考十卷　吳東發撰。

經典釋文補條例一卷　江遠孫撰。

經典異同四十八卷　張維屏撰。

十三經注疏校勘記識語四卷　江文臺撰。

漢書引經異文錄證六卷　繆祐孫撰。

授經圖四卷　明朱睦㮮原本,黃虞稷、龔翔麟重編。

十三經注疏姓氏一卷　翁方綱撰。

建立伏博士始末二卷　孫星衍撰。

傳經表一卷　通經表一卷　洪亮吉撰。

西漢儒林傳經表二卷　周廷寀撰。

漢西京博士考二卷　胡秉虔撰。

兩漢五經博士考三卷　張金吾撰。

兩漢傳經表二卷　蔣曰豫撰。

國朝漢學師承記七卷　附　經義目録一卷　隸经文四卷 _江
藩撰。

古文天象考十二卷　附　圖説一卷 雷學淇撰。

經書算學天文考一卷 陳懋齡撰。

學計一得二卷 鄒伯奇撰。

石經考一卷 顧炎武撰。

石經正誤一卷 張爾岐撰。

漢魏石經考一卷　唐宋石經考一卷 萬斯同撰。

石經考異二卷 杭世駿撰。

漢石經殘字考一卷 翁方綱撰。

魏石經毛詩殘字一卷 王昶撰。

蜀石經毛詩考異二卷 陳鱣撰。

石經考文提要十三卷 彭元瑞撰。

魏三體石經殘字考二卷 孫星衍撰。

石經儀禮校勘記四卷 阮元撰。

漢石經殘字證異二卷 孔廣牧撰。

唐石經校文十卷 嚴可均撰。

石經補考十二卷 馮登府撰。

北宋汴學篆隸二體石經記一卷 丁晏撰。

唐開成石經圖考一卷 魏錫曾撰。

漢劉向　五經通義一卷

漢鄭玄　六藝論一卷　鄭記一卷

不著時代雷氏　五經要義一卷

魏王肅　聖證論一卷

晉譙周　五經然否論一卷

晉束皙　五經通論一卷

晉楊芳　五經鉤沈一卷

晋戴逵　五經大義一卷

後魏常爽　六經略注一卷

後魏邯鄲綽　五經析疑一卷

後周樊文深　七經義綱一卷

漢石經尚書一卷

魯詩一卷

儀禮一卷

公羊傳一卷

論語一卷

魏三字石經尚書一卷

春秋一卷　<small>以上均馬國翰輯。</small>

漢鄭玄　駁五經異義一卷　補遺一卷

魏鄭小同　鄭志三卷　補遺三卷　<small>以上均王復、武億同輯。</small>

小學類

爾雅補注六卷　<small>姜兆錫撰。</small>

爾雅補郭二卷　<small>翟灝撰。</small>

爾雅正義二十卷　音義三卷　<small>邵晉涵撰。</small>

爾雅補注四卷　<small>周春撰。</small>

爾雅漢注三卷　<small>臧庸撰。</small>

爾雅釋文補三卷　<small>錢大昭撰。</small>

爾雅義疏二十卷　<small>郝懿行撰。</small>

爾雅釋地以下四篇注四卷　爾雅古義二卷　<small>錢坫撰。</small>

爾雅古義二卷　<small>胡承珙撰。</small>

爾雅小箋三卷　<small>江藩撰。</small>

爾雅古義十二卷　<small>黃奭撰。</small>

爾雅注疏本正誤五卷① 　張宗泰撰。

爾雅匡名二十卷　嚴元照撰。

爾雅補注殘本一卷　劉玉麐撰。

爾雅詁二卷　徐孚吉撰。

爾雅郭注補正三卷　戴鎣撰。②

爾雅經注集證三卷　龍啟瑞撰。

爾雅正郭三卷　潘衍桐撰。

爾雅古注斠三卷　閨秀葉蕙心撰。

續方言二卷　杭世駿撰。

方言校正十三卷　盧文弨撰。

方言補校一卷　劉台拱撰。

方言疏證十三卷　戴震撰。

續方言補證一卷　程際盛撰。

方言箋疏十三卷　錢繹撰。

續方言疏證二卷　沈齡撰。

釋名疏證八卷　補遺一卷　續釋名一卷　畢沅撰。③

廣釋名二卷　張金吾撰。

釋名補證一卷　成蓉鏡撰。

廣雅疏義二十卷　錢大昭撰。

廣雅疏證十卷　王念孫撰。

小爾雅約注一卷　朱駿聲撰。

小爾雅訓纂六卷　宋翔鳳撰。

小爾雅義證十三卷　胡承珙撰。

---

①　"正"原作"証"，據《積學齋叢書》所題書名、《清史稿藝文志及補編》改。

②　"鎣"原作"瑩"，據《續修四庫全書》本書所題作者名、《清史稿藝文志及補編》改。

③　"畢沅"原作"江聲"，據《叢書集成初編》本書所題作者名、《清史稿藝文志及補編》改。

小爾雅疏八卷　<small>王煦撰。</small>

小爾雅疏證五卷　<small>葛其仁撰。</small>

補小爾雅釋度量衡一卷　<small>鄒伯奇撰。</small>

字詁一卷　<small>黃生撰。</small>

越語肯綮錄一卷　<small>毛奇齡撰。</small>

連文釋義一卷　<small>王言撰。</small>

別雅五卷　<small>吳玉搢撰。</small>

經籍籑詁一百六卷　附　補遺一百六卷　<small>阮元撰。</small>

比雅十九卷　<small>洪亮吉撰。</small>

釋繒一卷　<small>任大椿撰。</small>

通詁二卷　<small>李調元撰。</small>

越言釋二卷　<small>茹敦和撰。</small>

釋廟一卷　釋車一卷　釋帛一卷　釋色一卷　釋詞一卷　釋
　農具一卷　<small>朱駿聲撰。</small>

釋服一卷　<small>宋翔鳳撰。</small>

釋穀一卷　<small>劉寶楠撰。</small>

釋人注一卷　<small>孫馮翼撰。</small>

釋祀一卷　<small>董蠡舟撰。</small>

拾雅二十卷　<small>夏味堂撰，夏紀堂注。</small>

駢字分箋二卷　<small>程際盛譔。</small>

駢雅訓籑十六卷　<small>魏茂林撰。</small>

周秦名字解詁補一卷　<small>王萱齡撰。</small>

叠雅十三卷　<small>史夢蘭撰。</small>

別雅訂五卷　<small>許瀚撰。</small>

漢郭舍人　爾雅注三卷

漢劉歆　爾雅注一卷

漢樊光　爾雅注一卷

漢李巡　爾雅注三卷

魏孫炎　爾雅注三卷　音一卷

晉郭璞　爾雅音義一卷　圖讚一卷

梁沈旋　集注爾雅一卷

陳施乾　爾雅音一卷

陳謝嶠　爾雅音一卷

陳顧野王　爾雅音一卷

唐裴瑜　爾雅注一卷　以上馬國翰輯。

吳韋昭　辨釋名一卷　黃奭輯。

　　　以上小學類訓詁之屬

康熙字典四十二卷　康熙五十五年，張玉書等奉敕撰。

字典考證三十六卷　道光十一年，王引之奉敕撰。

急就章考異一卷　孫星衍撰。

急就章姓氏補注一卷　吳省蘭撰。

急就章音略一卷　音略考證一卷　王紹蘭撰。

急就章考證一卷　鈕樹玉撰。

急就篇統箋一卷　急就姓氏考一卷　陳本禮撰。

急就篇考異一卷　莊世驥撰。

説文廣義三卷　王夫之撰。

説文引經考二卷　吳玉搢撰。

説文繫傳考異四卷　附錄一卷　汪憲撰。

説文答問一卷　錢大昕撰。

六書通十卷　閔齊伋撰。①

---

① “伋”原作“汲”，據《清碑傳合集·閔齊伋傳》改。

説文偏旁考二卷　吳照撰。

說文舊音一卷　音同義異辨一卷①　畢沅撰。

六書轉注古義考一卷　曹仁虎撰。

說文解字段氏注三十卷　六書音韻表五卷　汲古閣説文訂一卷　段玉裁撰。

惠氏讀説文記十五卷　惠棟撰。

説文解字通正十四卷　潘奕雋撰。

王氏讀説文記一卷　説文解字校勘記一卷　王念孫撰。

説文補考一卷　漢學諧聲二十四卷　古音論一卷　附錄一卷　戚學標撰。

説文古籀疏證六卷　莊述祖撰。

説文古語考二卷　程際盛撰。

六書轉注錄十卷　洪亮吉撰。

説文解字義證五十卷　説文段注鈔案一卷　補一卷　桂馥撰。

説文段注訂補十四卷　王紹蘭撰。

説文徐氏新附考證一卷　説文統釋序注一卷　錢大昭撰。

説文解字斠詮十四卷　錢坫撰。

説文述誼二卷　毛際盛撰。

説文字原集注十六卷　表一卷　説一卷　蔣和撰。

席氏讀説文記十五卷　席世昌撰。

説文管見三卷　胡秉虔撰。

六書説一卷　江聲撰。

説文校義三十卷　姚文田、嚴可均同撰。

説文聲系十四卷　説文解字考異十四卷　偏旁舉略一卷　姚文田撰。

①　“義”原作“字”，據《叢書集成初編》本書所題書名、《清史稿藝文志及補編》改。

説文翼十六卷　説文聲類二卷　説文訂訂一卷　嚴可均撰。

説文五翼八卷　王煦撰。

説文辨字正俗八卷　李富孫撰。

説文解字羣經正字二十八卷　邵瑛撰。

説文通訓定聲十八卷　補遺一卷　柬韻一卷　説雅一卷　小
　學識餘四卷　朱駿聲撰。

説文經字考一卷　陳壽祺撰。

説文檢字二卷　補遺一卷　毛謨撰。

説文雙聲疊韻譜一卷　鄧廷楨撰。

形聲類編五卷　丁履恒撰。

説文段注札記一卷　徐松撰。

讀説文證疑一卷　陳詩庭撰。

小學説一卷　吳夌雲撰。

説文古字考十四卷　沈濤撰。

説文説一卷　孫濟世撰。

説文繫傳校録三十卷　説文釋例二十卷　説文補正二十卷
説文解字句讀三十卷　句讀補正三十卷　説文韻譜校五卷
新附考校正一卷　正字略一卷　文字蒙求四卷　王筠撰。

説文諧聲譜九卷　張成孫撰。

説文段注訂八卷　説文新附考六卷　續考一卷　説文解字校
　録三十卷　説文玉篇校録一卷　鈕樹玉撰。

説文釋例二卷　説文音韻表十八卷　江沅撰。

説文段注匡謬八卷　徐承慶撰。

説文辨疑一卷　顧廣圻撰。

説文段注札記一卷　龔自珍撰。

許氏説音四卷　許桂林撰。

説文引經考異十六卷　柳榮宗撰。

説文疑疑二卷　附録一卷　孔廣居撰。

説文拈字七卷　補遺二卷　王玉樹撰。

説文校定本二卷　朱士端撰。

説文答問疏證六卷　薛傳均撰。

説文新附考六卷　説文逸字二卷　附録一卷　鄭珍撰。

説文聲讀考七卷　説文聲訂二卷　説文建首字讀一卷　苗夔撰。

六書轉注説二卷　夏炘撰。

説文諧聲孳生述一卷　陳立撰。

説文引經考證八卷　説文舉例一卷　陳瑑撰。

讀説文記一卷　許槤撰。

唐寫本説文木部箋異一卷　莫友芝撰。

諧聲補逸十四卷　附　札記一卷　宋保撰。

六書系韵二十四卷　檢字二卷　李貞撰。

説文雙聲二卷　説文叠韵二卷　劉熙載撰。

兒笘録四卷　俞樾撰。

印林遺著一卷　許瀚撰。

説文段注撰要九卷　馬壽齡撰。

説文外編十六卷　説文引經例辨三卷　雷浚撰。

説文揭原二卷　説文發疑六卷　汲古閣説文解字校記一卷　張
行孚撰。

説文解字索隱一卷　補例一卷　張度撰。

説文繫傳校勘記三卷　承培元、夏灝、吳永康撰。

説文引經證例二十四卷　承培元撰。

説文古籀補十四卷　補遺一卷　附録一卷　字説一卷　吳大
澂撰。

説文本經答問二卷　説文淺説一卷　鄭知同撰。

説文重文本部考一卷　曾紀澤撰。

古籀拾遺三卷　附　宋政和禮器文字考一卷　名原二卷　孫詒讓撰。

說文引羣說故二十七卷　鄭文焯撰。

說文解字引漢律令考二卷　附錄一卷　王仁俊譔。

洨民遺文一卷　孫傳鳳撰。

小學考五十卷　謝啓昆撰。

九經字樣疑一卷　五經文字疑一卷　孔繼涵撰。

汗簡箋正七卷　鄭珍撰。

隸釋刊誤一卷　黃丕烈撰。

復古編校正一卷　附錄一卷　葛鳴陽撰。

古音駢字續編五卷　莊履豐、莊鼎鉉同撰。

繆篆分韻五卷　補一卷　桂馥撰。

篆隸考異二卷　周靖撰。

隸辨八卷　顧藹吉撰。

隸法彙纂十卷　項懷述撰。

漢隸拾遺一卷　王念孫撰。

漢隸異同六卷　甘揚聲撰。

隸通二卷　錢慶曾撰。

隸篇十五卷　續十五卷　補十五卷　翟云升撰。

金石文字辨異十二卷　邢澍撰。

鐘鼎字源五卷　汪立名譔。

積古齋鐘鼎彝器欵識十卷　阮元撰。

筠清館金文五卷　吳榮光撰。

從古堂款識學十六卷　徐同柏撰。

攟古錄金文九卷　吳式芬撰。

兩罍軒彝器圖釋十二卷　吳雲撰。

攀古樓彝器款識二卷　潘祖蔭撰。

石鼓然疑一卷　莊述祖撰。

石鼓文考釋一卷　任兆麟撰。

石鼓文讀七種一卷　吳東發撰。

石鼓文定本十卷　沈梧撰。

續字彙補十二卷　吳志伊撰。

字貫提要四十卷　王錫侯撰。

字學辨正集成四卷　姚心舜撰。

倉頡篇三卷　續一卷　補二卷　孫星衍原輯,任大椿續輯,陶方琦補輯

小學鉤沈十八卷　任大椿輯。

字林考逸八卷　補一卷　任大椿原輯,陶方琦補輯。

周太史籀篇一卷

秦李斯等　倉頡篇一卷

漢司馬相如　凡將篇一卷

漢揚雄　訓纂篇一卷

漢杜林　倉頡訓詁一卷

漢服虔　通俗文一卷

漢衛宏　古文官書一卷

漢蔡邕　勸學篇一卷

漢郭顯卿　雜字指一卷

魏張揖　埤蒼一卷　古今字詁一卷　雜字一卷

魏周成　雜字解詁一卷

吳朱育　異字一卷

吳項峻　始學篇一卷

晉索靖　草書狀一卷

晉衛恒　四體書勢一卷

晉葛洪　要用字苑一卷

晋束皙　發蒙記一卷

晋顧愷之　啟蒙記一卷

晋李彤　字指一卷　附　單行字一卷

宋何承天　纂文一卷

宋顏延之　庭誥一卷　纂要一卷　詁幼一卷

梁元帝　纂要一卷

梁阮孝緒　文字集略一卷

梁庾儼默　演說文一卷

梁樊恭　廣蒼一卷

後魏楊承慶　字統一卷

後魏江式　古今文字表一卷

隋曹憲　文字指歸一卷

隋諸葛穎　桂苑珠叢一卷

不著時代撰人　分毫字樣一卷　以上均馬国翰輯。

後魏宋世良　字略一卷

不著時代陸善經　新字林一卷　字書一卷

唐開元文字音義一卷　小學一卷　以上均黃奭輯。

　　　以上小學類字書之屬

易音三卷　詩本音十卷　顧炎武撰。

詩叶韻辨一卷　王夫之撰。

易韻四卷　毛奇齡撰。

詩經叶音辨譌八卷　劉維謙撰。

九經韻證一卷　吳廷華撰。

十三經音略十三卷　周春撰。

詩音表一卷　錢坫撰。

詩音辨二卷　李調元撰。

詩聲類十二卷　詩聲分例一卷　孔廣森撰。

詩經韻讀四卷　羣經韻讀一卷　先秦韻讀一卷　江有誥撰。

詩聲衍一卷　劉逢祿撰。

毛詩雙聲疊韻説一卷　王筠撰。

毛詩韻訂十卷　苗夔撰。

三百篇原聲七卷　夏味堂撰。

爾雅直音二卷　王祖源撰。

唐韻正二十卷　補正一卷　顧炎武撰。

廣韻正四卷　李因篤撰。

唐韻考五卷　紀容舒撰。

唐韻四聲正一卷　江有誥撰。

九經補韻考正一卷　錢繹撰。

集韻考正十卷　方成珪撰。

廣韻説一卷　吳棱雲撰。

集韻校誤四卷　羣經音辨校誤一卷　陸心源撰。

音論三卷　古音表二卷　顧炎武撰。

古今通韻十二卷　毛奇齡撰。

古今韻考四卷　李因篤撰。

聲韻叢説一卷　韻問一卷　毛先舒撰。

古音通八卷　柴紹炳撰。

古今韻略五卷　邵長蘅撰。

古音正義一卷　熊士伯撰。

聲韻圖譜一卷　錢人麟撰。

古韻標準四卷　江永撰。

聲韻考四卷　聲類表十卷　轉語二十章　戴震撰。

聲類四卷　音韻問答一卷　錢大昕撰。

漢魏音四卷　洪亮吉撰。

古音諧八卷　姚文田撰。

古韻論三卷　胡秉虔撰。

廿一部諧聲表一卷　入聲表一卷　江有誥撰。

古今韻準一卷　朱駿聲撰。

歌麻古韻考四卷　苗夔撰。

五韵論二卷① 　鄒漢勛撰。

述韻十卷　夏燮撰。

古韻通說四卷　龍翰臣撰。②

劉氏遺箸一卷　劉禧延撰。

韻府鉤沈四卷　雷浚撰。

欽定叶韻彙輯五十八卷　乾隆十五年,梁詩正等奉敕撰。

榕村韻書五卷　李光地撰。

韻岐四卷　江昱撰。

詩韻析五卷　附錄二卷　江紱撰。

官韻考異一卷　吳省欽撰。

韻辨附文五卷　沈兆霖撰。

诗韻辨字略五卷　黄倬撰。

韻詁五卷　補遺一卷　方濬頤撰。

欽定音韻闡微十八卷　韻譜一卷　康熙五十四年,李光地奉敕撰。

欽定同文韻統六卷　乾隆十五年,莊親王允禄等奉敕撰。

欽定音韻述微三十卷　乾隆三十八年敕撰。

類音八卷　潘耒撰。

等切元聲十卷　熊士伯撰。

---

① "韵"原作"音",據《新化鄒氏學蘇齊遺書》本書所題書各改。

② "翰臣",《清史稿藝文志及補編》作"啟瑞"。按:啟瑞,字翰臣。下《經籍舉要》
所題作者名同。

四聲切韻表四卷　音學辨微一卷　江永撰。

沈氏四聲考二卷　紀昀撰。

四聲韻和表五卷　洪榜撰。

四聲易知録四卷　姚文田撰。

等韻叢説一卷　江有誥撰。

字母辨一卷　黃廷鑑撰。

四聲切韻表補正三卷　汪曰楨撰。

劉氏碎金一卷　中州切音論贅論一卷　劉禧延撰。

四聲定切四卷　劉熙載撰。

切韻考六卷　外篇三卷　陳澧撰。

翻切簡可篇二卷　張燮承撰。

宋司馬光　切韻指掌圖二卷　附　撿例一卷　以上乾隆三十八年王
際華等奉敕輯。

魏李登　聲類一卷

晉呂静　韻集一卷

北齊陽休之　韻略一卷

唐僧神珙　四聲五音九弄反鈕圖一卷　以上均馬國翰輯。

宋李燾　音譜一卷　聲譜一卷

唐孫愐　唐韻二卷

唐顏真卿　韻海鏡源一卷

唐李舟　切韻一卷　以上均黃奭輯。

　　　以上小學類韻書之屬

西域同文志二十四卷　乾隆二十八年，傅恒等奉敕撰。

增訂清文鑑三十二卷　補編四卷　總綱八卷　補總綱二卷　乾
隆三十六年，傅恒等奉敕撰。

满漢對音字式一卷　乾隆三十七年敕撰。

满州蒙古漢字三合切音清文鑑三十三卷　乾隆四十四年，阿桂等奉
敕撰。

清文彙書十二卷　李延基撰。

清文補彙八卷　宗室宜興撰。

清文備考六卷　戴毅撰。

清文啟蒙四卷　舞格撰。

三合便覽十二卷　不著撰人名氏。

清文總彙二卷　不著撰人名氏。

　　以上小學類清文之屬

史部

　　史部十六類：一曰正史類，二曰編年類，三曰紀事本末類，四曰別史類，五曰雜史類，六曰詔令奏議類，七曰傳記類，八曰史鈔類，九曰載記類，十曰時令類，十一曰地理類，十二曰職官類，十三曰政書類，十四曰目録類，十五曰金石類，十六曰史評類。

正史類

明史三百三十六卷　康熙十八年敕撰，乾隆四年書成表進。

遼金元三史國語解四十六卷　乾隆四十六年敕撰。

史紀補注一卷　方苞撰。

史記疑問一卷　邵泰衢撰。

史記考證七卷　杭世駿撰。

史記志疑三十六卷　梁玉繩撰。

讀史記十表十卷　汪越撰，徐克范補。

史記天官書補目一卷　考證十卷　孫星衍撰。

史記律曆天官書正譌三卷　王元啟撰。

史記三書釋疑三卷　錢塘撰。

史記功比説一卷　張錫瑜撰。

史記毛本正誤一卷　丁晏撰。

校刊史記札記五卷　張文虎撰。

史漢箋論十卷　楊于果撰。

史漢駢枝一卷　成蓉鏡撰。

漢書辨疑二十二卷　錢大昭撰。

漢書拾遺一卷　劉台拱撰。

漢書疏證三十六卷　沈欽韓撰。

漢書注校補五十六卷　周壽昌撰。

漢書管見四卷　朱一新撰。

漢書補注一百卷　王先謙撰。

漢初年月日表一卷　姚文田撰。

漢書律曆志正譌二卷　王元啟撰。

漢書地理志稽疑六卷　全祖望撰。

漢書地理志補注一百三卷　吳卓信撰。

新斠注漢書地理志十六卷　錢坫撰。

漢書地理志校注二卷　王紹蘭撰。

漢書地理志校本二卷　汪遠孫撰。

漢志水道疏證四卷　洪頤煊撰。

漢書地理志水道圖説七卷　陳澧撰。

漢志釋地略漢志志疑一卷　汪士鐸撰。

漢書地理志集釋十四卷　西域傳記注二卷　徐松撰。

漢西域圖考七卷　李光廷撰。

漢書古今人表考九卷　梁玉繩撰。

人表考校補一卷　續補一卷　蔡雲撰。

漢書正誤四卷　王峻撰。

漢書刊誤一卷　石韞玉撰。

漢書注考證一卷　何若瑤撰。

兩漢朔閏表二卷　附　漢太初以前朔閏表一卷　張其翧撰。

兩漢舉正五卷　陳景雲撰。

後漢書補注二十四卷　惠棟撰。

後漢書辨疑十一卷　續後漢書辨疑九卷　後漢書補表八卷

補續漢書藝文志一卷　後漢郡國令長考一卷　錢大昭撰。

後漢書疏證三十卷　沈欽韓撰。

後漢書補注續一卷　補後漢書藝文志四卷　侯康撰。

後漢書注補正八卷　周壽昌撰。

後漢書注又補一卷　沈銘彝撰。

後漢書儒林傳補二卷　李聿修撰。

後漢書補逸二十一卷　姚之駰撰。

後漢書注刊誤一卷　後漢公卿表一卷　練恕撰。

後漢三公年表一卷　華湛恩撰。

後漢書注考證一卷　何若瑤撰。

三國志舉正四卷　陳景雲撰。

三國志考證八卷　潘眉撰。

三國志補注六卷　杭世駿撰。

三國志續考證一卷　盧文弨撰。

三國志辨疑三卷　錢大昭撰。

三國志注補六十五卷　趙一清撰。

三國志補注十六卷　沈欽韓撰。

三國志旁證三十卷　梁章鉅撰。

三國志證聞二卷　錢儀吉撰。

三國紀年表一卷　周嘉猷撰。

補三國疆域志三卷　洪亮吉撰。

三國職官表三卷　洪飴孫撰。

三國志注續一卷　補三國藝文志四卷　侯康撰。

三國志注證遺四卷　周壽昌撰。

晉書地理志新補正五卷　畢沅撰。

東晉疆域志四卷　洪亮吉撰。

晉書補傳贊一卷　杭世駿撰。

補晉書兵志一卷　錢儀吉撰。

晉書校勘記四卷　周雲撰。

晉書校勘記三卷　勞格撰。

補晉書藝文志四卷　晉書校文五卷　丁國鈞撰。

晉宋書故一卷　補宋書刑法志一卷　食貨志一卷　郝懿行撰。

宋書州郡志校勘記一卷　成蓉鏡撰。

補梁疆域志四卷　洪飴孫撰。

魏書校勘記一卷　王先謙撰。

北周公卿表一卷　練恕撰。

南北史識疑四卷　王懋竑撰。

補南北史表七卷　周嘉猷撰。

補南北史志十四卷　汪士鐸撰。

隋書經籍志考證十三卷　章宗源撰。

隋書地理志考證九卷　楊守敬撰。

新舊唐書互證二十卷　趙紹祖撰。

舊唐書疑義四卷　張道撰。

舊唐書校勘記六十六卷　羅士琳、陳立、劉文淇、劉毓崧同撰。

唐學士年表一卷　錢大昕撰。

五代史志疑四卷　楊陸榮撰。

五代史纂誤補四卷　吳蘭庭撰。

五代史纂誤續補六卷　吳光耀撰。

五代史纂誤補續一卷　周壽昌撰。

舊五代史考異二卷　邵晉涵撰。

新五代史注七十四卷　彭元瑞、劉鳳誥同撰。

五代紀年表一卷　周嘉猷撰。

五代史地理考一卷　練恕撰。

補五代史藝文志一卷　顧櫰三撰。

五代學士年表一卷　錢大昕撰。

宋史地理志校勘記一卷　成蓉鏡撰。

宋史藝文志補一卷　倪燦撰。

宋中興學士年表一卷　宋修唐書史臣表一卷　錢大昕撰。

遼史拾遺二十四卷　補五卷　厲鶚撰。

遼史拾遺續三卷　楊復吉撰。

金史詳校十卷　金源劄記二卷　施國祁撰。

元史本證五十卷　元史證誤二十三卷　汪輝祖撰。

元史氏族表三卷　補元史藝文志四卷　錢大昕撰。

元史譯文證補三十卷　洪鈞撰。

宋遼金元四史朔閏考二卷　遼金元三史拾遺五卷　錢大昕撰。

補遼金元三史藝文志一卷　倪燦撰。

補遼金元三史藝文志一卷　金門詔撰。

明史考證攟逸四十二卷　王頌蔚撰。

二十二史考異一百卷　諸史拾遺五卷　錢大昕撰。

十七史商榷一百卷　王鳴盛撰。

二十二史劄記三十六卷　補遺一卷　趙翼撰

四史發伏十二卷　洪亮吉撰

讀史舉正八卷　張熷撰。

諸史然疑一卷　杭世駿撰。

諸史考異十八卷　洪頤煊撰。

歷代史目表一卷　洪飴孫撰。

宋薛居正等　舊五代史一百五十卷　目録二卷

宋吳縝　五代史記纂誤三卷　以上乾隆時奉敕輯。

漢書音義三卷　補遺一卷　臧鏞堂輯。

编年類

太祖實録十三卷　崇德元年敕纂，康熙二十一年聖祖重修，雍正十二年勅加校訂。

太宗實録六十八卷　順治九年勅纂，康熙十二年聖祖重修，雍正十二年勅加校訂。

世祖實録一百四十七卷　康熙六年勅纂，雍正十二年勅加校訂。

聖祖實録三百三卷　康熙六十一年勅纂。

世宗實録一百五十九卷　雍正十三年勅纂。

高宗實録一千五百卷　嘉慶四年勅纂。

仁宗實録三百七十四卷　道光四年勅纂。

宣宗實録四百七十六卷　咸豐二年勅纂。

文宗實録三百五十六卷　同治元年勅纂。

穆宗實録三百七十四卷　光緒五年勅纂。

德宗實録五百六十一卷　宣統時勅纂。

御批通鑑輯覽一百十六卷　附　明唐桂二王本末三卷　乾隆三十二年，傅恒等奉勅撰。

御定通鑑綱目三編四十卷　乾隆四十年敕撰。

開國方略三十二卷　乾隆三十八年敕撰。

竹書統箋十二卷　徐文靖撰。

竹書紀年集證五十卷　陳逢衡撰。

考定竹書十三卷　孫之騄撰。

竹書紀年校正十四卷　郝懿行撰。

校正竹書紀年二卷　洪頤煊撰。

竹書紀年集注二卷　陳詩撰。

竹書紀年校補二卷　張宗泰撰。

考訂竹書紀年十四卷　竹書紀年義證四十卷　雷學淇撰。

竹書紀年補證四卷　林春溥撰。

資治通鑑後編一百八十四卷　徐乾學撰。

續資治通鑑後編校勘記十五卷　夏震武撰。

續資治通鑑三百二十卷　畢沅撰。

續資治通鑑長編拾補六十卷　秦緗業撰。

續資治通鑑長編拾遺六十卷　黄以周撰。

通鑑胡注舉正一卷　陳景雲撰。

通鑑注辨正二卷　錢大昕撰。

通鑑注商十八卷　趙紹祖撰。

通鑑刊本識誤三卷　通鑑補略一卷　張敦仁撰。

通鑑校勘記七卷　張瑛撰。

通鑑地理今釋十六卷　吳熙載撰。

綱目訂誤四卷　陳景雲撰。

綱目分注補遺四卷　芮長恤撰。

通鑑綱目釋地糾繆六卷　釋地補注六卷　張庚撰。

綱目志疑一卷　華湛恩撰。

讀通鑑綱目條記二十卷　李述來撰。

明鑑前紀二卷　齊召南撰。

明通鑑一百卷　夏燮撰。

明紀六十卷　陳鶴撰。

周季編略九卷　黄式三撰。

古史紀年十四卷　古史考年異同表二卷　戰國紀年六卷　附
　年表一卷　林春溥撰。

國策編年一卷　顧觀光撰。

小腆紀年附考二十卷　徐鼐撰。[1]

---

[1]　“鼐”原作“才鼎”，據《清史稿藝文志及補編》、《清碑傳合集·徐鼐傳》改。

東華録三十二卷　蔣良驥撰。

十朝東華録四百二十五卷　王先謙撰。

咸豐朝東華續録六十九卷　潘頤福撰。

光緒東華録二百二十卷　朱壽朋撰。

滇雲歷年傳十二卷　倪蛻撰。

宋李燾　續資治通鑑長編五百二十卷

宋不著撰人　兩朝綱目備要十六卷

宋王益之　西漢紀年三十卷

宋熊克　中興小紀四十卷　以上乾隆時敕輯。

陸機　晉紀一卷

干寶　晉紀一卷

習鑿齒　漢晉春秋一卷

鄧粲　晉紀一卷

孫盛　晉陽秋一卷

劉謙之　晉紀一卷

徐廣　晉紀一卷

檀道鸞　續晉陽秋一卷

劉道薈　晉起居注一卷　以上黃奭輯。

晉紀五卷　晉陽秋五卷　漢晉春秋四卷　三十國春秋十八卷
　　以上湯球輯。

紀事本末類

平定三逆方略六十卷　康熙二十一年，勒德洪等奉敕撰。

親征平定朔漠方略四十八卷　康熙四十七年，温達等奉敕撰。

平定金川方略三十二卷　乾隆十三年，來保等奉敕撰。

平定準噶爾方略前編五十四卷　正編八十五卷　續編三十三卷　乾隆三十七年，傅恒等奉敕撰。

臨清紀略十六卷　乾隆四十二年，于敏中等奉敕撰。

平定兩金川方略一百五十二卷　乾隆四十六年，阿桂等奉敕撰。

蘭州紀略二十卷　乾隆四十六年敕撰。

石峰堡紀略二十卷　乾隆四十九年敕撰。

臺灣紀略七十卷　乾隆五十三年敕撰。

安南紀略三十二卷　乾隆五十六年敕撰。

廓爾喀紀略五十四卷　乾隆六十年敕撰。

巴布勒紀略二十六卷　乾隆時敕撰。

平苗匪紀略五十二卷　嘉慶二年，鄂輝等奉敕撰。

剿平三省邪匪方略前編三百六十一卷　續編三十六卷　附編十二卷　嘉慶十五年，慶桂等奉敕撰。

平定教匪紀略四十二卷　嘉慶二十一年，托津等奉敕撰。

平定回疆剿捦逆裔方略八十卷　道光九年，曹振鏞等奉敕撰。

剿平粵匪方略四百二十卷　同治十一年敕撰。

剿平捻匪方略三百二十卷　同治十一年敕撰。

平定陝甘新疆回匪方略三百二十卷　光緒二十二年敕撰。

平定雲南回匪方略五十卷　光緒二十二年敕撰。

平定貴州苗匪紀略四十卷　光緒二十二年敕撰。

繹史一百六十卷　馬驌撰。

左傳紀事本末五十三卷　高士奇撰。

通鑑本末紀要八十一卷　蔡毓榮撰。

遼史紀事本末四十卷　金史紀事本末五十二卷　李有棠撰。

明紀事本末八十卷　谷應泰撰。

續明紀事本末十八卷　倪在田撰。

明紀事本末補編十五卷　彭貽孫撰。

三藩紀事本末四卷 　楊陸榮撰。

四藩始末四卷 　錢名世撰。

綏寇紀略十二卷 　吳偉業撰。

滇考二卷 　馮甦撰。

皇朝武功紀盛四卷 　趙翼撰。

聖武記十四卷 　魏源撰。

平定羅刹方略四卷 　不著撰人氏名。

平臺紀略一卷　附　東征集六卷 　藍鼎元撰。

平定粵匪紀略十卷　附記四卷 　杜文瀾撰。

湘軍志十六卷 　王闓運撰。

湘軍記二十卷 　王定安撰。

平浙紀略十六卷 　秦緗業，陳鍾英同撰。

吳中平寇記八卷 　錢昀撰。

淮軍平捻記十二卷 　周世澄撰。

豫軍紀略十二卷 　尹耕雲撰。

山東軍興紀略二十二卷 　不著撰人名氏。

霆軍紀略十六卷 　陳昌撰。

平定關隴紀略十三卷 　易孔昭、胡孚駿同撰。

粵東勦匪紀略五卷 　陳坤撰。

平回志八卷 　楊毓秀撰。

剿定新疆記八卷 　魏光燾撰。

浙東籌防錄四卷 　薛福成撰。

國朝柔遠記十八卷 　王之春撰。

中西紀事二十四卷 　夏燮撰。

普法戰紀十二卷 　王韜撰。

中東戰紀本末八卷 　蔡爾康撰。

別史類

歷代紀事年表一百卷　康熙五十一年，王之樞等奉敕撰。

續通志五百二十七卷　乾隆三十二年敕撰。

逸周書補注二十二卷　補遺一卷　陳逢衡撰。

汲冢周書輯要一卷　郝懿行撰。

逸周書集訓校釋十卷　逸文一卷　朱右曾撰。

逸周書集訓校釋增校一卷　朱駿聲撰。[①]

逸周書管箋十六卷　丁宗洛撰。

逸周書王會篇箋釋三卷　何秋濤撰。

校輯世本二卷　雷學淇撰。

世本輯補十卷　秦嘉謨撰。

帝王世紀考異一卷　宋翔鳳撰。

帝王世紀地名衍四卷　連鶴壽撰。

春秋戰國異詞五十六卷　通表二卷　摭遺一卷　陳厚耀撰。

春秋紀傳五十一卷　李鳳雛撰。

尚史一百七卷　李鍇撰。

後漢書補逸二十一卷　姚之駰撰。

季漢書九十卷　章陶撰。

季漢書九十卷　湯成烈撰。

季漢五志十二卷　王復禮撰。

後漢書十四卷　王廷璨撰。

晉記六十八卷　郭倫撰。

晉略六十卷　周濟撰。

---

①　"駿"，原作"酸"，據《清史稿藝文志及補編》改。

西魏書二十四卷　謝啟昆撰。

續唐書七十卷　陳鱣撰。

宋史翼四十卷　陸心源撰。

元史新編九十五卷　魏源撰。

元秘史注十五卷　李文田撰。

元史備忘録五卷①　王光魯撰。

續宏簡録四十二卷　邵遠平撰。

明書一百七十一卷　傅維鱗撰。

明史稿三百十卷　王鴻緒撰。

明史稿二十卷　續二卷　湯斌撰。

擬明史列傳二十四卷　汪琬撰。

擬明史傳不分卷　姜宸英撰。

明史分稿殘編二卷　方象英撰。

明史擬傳六卷　藝文志五卷　外國志五卷　尤侗撰。

國史考異六卷　潘檉章撰。

開關傳疑二卷　林春溥撰。

歷代甲子考一卷　黄宗羲撰。

二十一史年表十卷　顧炎武撰。

歷代史表五十九卷　萬斯同撰。

二十一史四譜五十四卷　歷代世系紀年編一卷　沈炳震撰。

歷代帝王年表三卷　齊召南撰。

歷代帝王廟謚年諱譜一卷　陸費墀撰。

紀元要略二卷　陳景雲。

歷代建元考十卷　鍾淵映撰。

---

①　“忘録”原作“志”，據《清史稿藝文志及補編》、《續修四庫全書》本書所題書名改。

元號略四卷　補遺一卷　<small>梁玉繩撰。</small>

紀元通考十二卷　<small>葉維庚撰。</small>

列代建元表十卷　建元類聚考二卷　<small>錢東垣撰。</small>

紀元編三卷　<small>李兆洛撰。</small>

歷代統紀表十三卷　<small>段長基撰。[①]</small>

漢劉珍東觀漢記二十四卷

元郝經　續後漢書九十卷　<small>乾隆時敕輯。</small>

世本一卷　<small>孫馮翼輯。</small>

漢宋衷　世本注五卷　<small>張澍輯。</small>

七家後漢書二十一卷　<small>王文臺撰。</small>

重訂謝承後漢書補逸五卷　<small>孫志祖輯。</small>

薛瑩　後漢書一卷

華嶠　後漢書注一卷

謝沈　後漢書一卷

袁山松　後漢書一卷

張璠　後漢記一卷

虞預　晉書一卷

朱鳳　晉書一卷

何法盛　晉中興書一卷

謝靈運　晉書一卷

臧榮緒　晉書一卷

眾家晉書一卷　<small>以上黃奭輯。</small>

九家舊晉書三十七卷　<small>湯球輯。</small>

---

① "長"原作"承"，據《清史稿藝文志及補編》、《四部備要》本書所題作者名改。

雜史類

蒙古源流八卷　蒙古小徹辰薩囊台吉撰，乾隆四十二年敕譯。

國語韋昭注疏十六卷　洪亮吉撰。

國語校文一卷　汪中撰。

國語補注一卷　姚鼐撰。

國語補校一卷　劉台拱撰。

國語補韋四卷　黃模撰。

國語三君注輯存四卷　國語考異四卷　國語發正二十一卷　汪遠孫撰。

國語翼解六卷　陳瑑撰。

國語釋地三卷　譚澐撰。

國語正義二十一卷　董增齡撰。

戰國策去毒二卷　陸隴其撰。

戰國策釋地二卷　張琦撰。

國策地名考二十卷　程恩澤撰，狄子奇箋。

讀戰國策隨筆一卷　張尚瑗撰。

戰國策札記三卷　顧廣圻撰。

武王克殷日記一卷　滅國五十考一卷　林春溥撰。

考信錄提要二卷　補上古考信錄二卷　唐虞考信錄四卷　夏考信錄二卷　商考信錄二卷　豐鎬考信錄八卷　豐鎬別錄三卷　考古續說二卷　考信附錄二卷　崔述撰。

熹廟諒陰記一卷　聖安本紀六卷　明季實錄六卷　顧炎武撰。

南宋六陵遺事一卷　庚申君遺事一卷　萬斯同撰。

見聞隨筆二卷　馮甦撰。

安南使事記一卷　李仙根撰。

建文帝後紀一卷　<small>邵遠平撰。</small>

武宗外紀一卷　後鑒録七卷　<small>毛奇齡撰。</small>

烈皇勤政記一卷　思陵典禮記四卷　<small>孫承澤撰。</small>

三朝野紀七卷　<small>李遜之撰。</small>

宏光日録四卷　永曆實録二十五卷　行朝録十二卷　汰存録
　一卷

贛州失事記一卷　紹武爭立記一卷　舟山興廢記一卷　四明
　山寨記一卷　沙州定亂記一卷　賜姓始末一卷　鄭成功傳
　一卷　滇考一卷　日本乞師記一卷　<small>黃宗羲撰。</small>

永曆實録二十六卷　<small>王夫之撰。</small>

魯春秋一卷　<small>查士佐撰。</small>

僞東宮僞后及黨禍記略一卷　楡林城守記略一卷　保定城守
　記略一卷　揚州城守記略一卷　<small>戴田有撰。</small>[①]

二申野録八卷　<small>孫之騄撰。</small>

遜代陽秋二十八卷　<small>余美英撰。</small>

復社記事一卷　<small>吳偉業撰。</small>

社事始末一卷　<small>杜登春撰。</small>

啟禎野乘十六卷　二集八卷　<small>鄒漪撰。</small>

蜀難敘略一卷　<small>沈荀蔚撰。</small>

金陵野鈔十四卷　<small>顧苓撰。</small>

甲申傳信録十卷　<small>錢士馨撰。</small>

史外八卷　<small>汪有典撰。</small>

明季北略二十四卷　南略十八卷　<small>計六奇撰。</small>

東南紀事十二卷　西南紀事十二卷　<small>邵廷寀撰。</small>

南疆逸史三十卷　岬諡録八卷　摭遺十八卷　<small>溫睿臨撰。</small>

---

① “田有”，《清史稿藝文志及補編》、中華本作“名世”。按：名世，字田有。

南疆繹史五十八卷　李瑤撰。

海東逸史十八卷　不著撰人氏名。

爝火録三十卷　李本撰。

小腆紀傳六十五卷　徐鼒撰。

補遺五卷　考異一卷　徐承禮撰。

閩事紀略二卷　華廷獻撰。

平定耿逆記一卷　李之芳撰。

平閩記十三卷　楊捷撰。

嘯亭雜録十卷　續録三卷　禮親王昭槤撰。

養吉齋叢録二十二卷　吳振棫撰。

郎潛記聞初筆十四卷　二筆十六卷　三筆十二卷　陳康祺撰。

聖德紀略一卷　儤直紀略一卷　恩遇紀略一卷　舊聞紀略一卷　瞿鴻璣撰。

宋不著撰人　咸淳遺事二卷

大金弔伐録四卷

元王鶚　汝南遺事四卷　乾隆時敕輯。

國語賈注一卷　蔣曰豫輯。

鄭衆　國語解詁一卷

賈逵　國語注一卷

唐固　國語注一卷

王肅　國語章句一卷

孔晁　國語注一卷

孔衍　春秋後語一卷

陸賈　楚漢春秋一卷

伏侯　古今注一卷

王粲　英雄記一卷

司馬彪　戰略一卷　九州春秋一卷

傅暢　晉諸公讚一卷

荀綽　晉後略一卷

盧綝　晉八王故事一卷　晉四王遺事一卷 <small>以上黃奭輯。</small>

詔令奏議類

太祖高皇帝聖訓四卷 <small>康熙二十五年敕編。</small>

太宗文皇帝聖訓六卷 <small>順治時敕編，康熙二十六年告成。</small>

世祖章皇帝聖訓六卷 <small>康熙二十六年敕編。</small>

親政綸音不分卷 <small>順治時敕編。</small>

聖祖仁皇帝聖訓六十卷 <small>雍正九年敕編。</small>

庭訓格言不分卷 <small>世宗御編。</small>

聖諭廣訓不分卷 <small>雍正二年敕刊。</small>

上諭內閣一百五十九卷 <small>雍正七年敕刊，乾隆時續刊。</small>

硃批諭旨三百六十卷 <small>雍正十年敕編，乾隆三年告成。</small>

上諭八旗十三卷　上諭旗務議覆十二卷　諭行旗務奏議十三卷 <small>雍正九年敕編。</small>

訓飭州縣條規二十卷 <small>雍正八年敕刊。</small>

世宗憲皇帝聖訓三十六卷 <small>乾隆五年敕編。</small>

高宗純皇帝聖訓三百卷 <small>嘉慶十二年敕編。</small>

仁宗睿皇帝聖訓一百十卷 <small>道光四年敕編。</small>

宣宗成皇帝聖訓一百三十卷 <small>咸豐六年敕編。</small>

文宗顯皇帝聖訓一百十卷 <small>同治五年敕編。</small>

穆宗毅皇帝聖訓一百六十卷 <small>光緒五年敕編。</small>

明名臣奏議二十卷 <small>乾隆四十六年奉敕編。</small>

息齋疏草五卷 <small>金之俊撰。</small>

龔端毅奏議八卷　附録一卷　龔鼎孳撰。

孟忠毅公奏議二卷　孟喬芳撰。

趙忠襄奏疏存稿六卷　趙良棟撰。

張襄壯奏疏六卷　張勇撰。

兼濟堂奏議四卷　魏裔介撰。

寒松堂奏議四卷　魏象樞撰。

文襄公奏疏十五卷　李之芳撰。

撫虔奏議一卷　佟國器撰。

平岳疏議一卷　平海疏議一卷　萬正色撰。

郝恭定集五卷　郝惟訥撰。

中山奏議四卷　郝浴撰。

靳文襄奏疏八卷　靳輔撰。

乾清門奏對記一卷　湯斌撰。

撫浙奏議一卷　督閩奏議一卷　范承謨撰。

撫浙疏草五卷　朱昌祚撰。

撫呈封事八卷　撫楚封事一卷　撫黔封事一卷　撫漕封事一
卷　輯瑞陳言一卷　慕天顏撰。

于山奏牘七卷　于成龍撰。

清忠堂奏疏不分卷　朱宏祚撰。

西臺奏議一卷　京兆奏議一卷　附　曲徙録一卷　楊素蘊撰。

楊黃門奏疏不分卷　撫黔奏疏八卷　楊雍建撰。

華野疏稿五卷　郭琇撰。

河防疏略二十卷　朱之錫撰。

西陂奏疏六卷　宋犖撰。

督漕疏草二十二卷　董訥撰。

奏疏稿不分卷　江蘩撰。

撫豫宣化録四卷　田文鏡撰。

防河奏議十二卷　稽曾筠撰。

平蠻奏疏一卷　鄂爾泰撰

張公奏議二十四卷　張鵬翮撰。

條奏疏稿二卷　蔣廷錫撰。

奏疏十卷　高其倬撰。

望溪奏疏一卷　方苞撰。

尹元孚奏議十卷　尹會一撰。

裘文達奏議一卷　裘日修撰。

那文毅奏議八十卷　那彥成撰。

兩河奏疏不分卷　嚴烺撰。

思補齋奏稿偶存一卷　潘世恩撰。

恭壽堂奏議十二卷　韓文綺撰。

楚蒙山房奏疏五卷　晏斯盛撰。

東溟奏稿四卷　姚瑩撰。

林文忠政書三卷　林則徐撰。

陶雲汀先生奏議三十二卷　陶澍撰。

耐菴奏議存稿十二卷　賀長齡撰。

吳文節遺集八十卷　吳文鎔撰。

張大司馬奏稿四卷　張亮基撰。

駱文忠奏議十六卷　駱秉章撰。

李文恭奏議二十二卷　李星沅撰。

李尚書政書八卷　李宗羲撰。

王侍郎奏議十卷　王茂蔭撰。

臺垣疏稿一卷　丁壽昌撰。

張文毅奏稿八卷　張芾撰。

曾文正奏稿三十二卷　曾國藩撰。

胡文忠奏稿五十二卷　胡林翼撰。

左文襄奏疏初編三十八卷　續編七十六卷　三編六卷 左宗棠撰。

曾忠襄奏疏六十一卷 曾國荃撰。

沈文肅政書十二卷 沈葆楨撰。

李忠武奏議一卷 李續賓撰。

劉中丞奏稿八卷 劉崐撰。

劉中丞奏議二十卷 劉蓉撰。

劉武慎奏稿十六卷 劉長佑撰。

彭剛直奏議八卷 彭玉麟撰。

郭侍郎奏疏十二卷 郭嵩燾撰。

岑襄勤奏稿三十卷 岑毓英撰。

丁文誠奏議二十六卷 丁寶楨撰。

毛尚書奏稿十六卷 毛鴻賓撰。

曾惠敏奏議六卷 曾紀澤撰。

出使奏疏二卷 薛福成撰。

養雲山莊奏稿四卷 劉瑞芬撰。

錢敏肅奏疏七卷 錢鼎銘撰。

黎文肅奏議十六卷 黎培敬撰。

許太常奏稿一卷 許乃濟撰。

豸華堂奏議十二卷 金應麟撰。

水流雲在館奏議二卷 宋晋撰。

吳柳堂奏疏一卷 吳可讀撰。

王文敏奏疏稿一卷 王懿榮撰。

袁太常戊戌條陳一卷 袁昶撰。

諫垣存稿四卷 安維峻撰。

李文忠政書一百六十五卷 李鴻章撰。

張宮保政書十二卷 張之洞撰。

端忠敏奏議十六卷　端方撰。

三賢政書十八卷　湯斌、宋犖、張伯行撰。

嘉定長白二先生奏議四卷　徐致祥、寶廷撰。

宋陳次升讜論集五卷　乾隆時敕輯。

傳記類

宗室王公功績表傳十二卷　乾隆四十六年敕撰。

蒙古王公功績表傳十二卷　乾隆四十四年敕撰。

八旗滿洲氏族通譜八十卷　乾隆九年敕撰。

勝朝殉節諸臣錄十二卷　乾隆四十一年敕撰。

滿漢名臣傳八十卷　貳臣十二卷　叛臣傳四卷　乾隆時敕撰。

史傳三編五十六卷　朱軾撰。

歷代忠臣義士卓行錄八卷　戴作銘撰。

歷代名臣言行錄二十四卷　朱桓撰。

廣羣輔錄六卷　徐汾撰。

臣鑒錄二十卷　蔣伊撰。

歷代黨鑑五卷　徐賓撰。

續高士傳五卷　高兆撰。

續補高士傳三卷　魏裔介撰。

孝史類編十卷　黃齊賢撰。

元祐黨人傳十卷　陸心源撰。

明名臣言行錄四十五卷　徐開仕撰。

崇禎五十宰相傳一卷　年表一卷　曹溶撰。

明儒言行錄十卷　續錄十卷　沈佳撰。

東林列傳二十四卷　留溪外傳十八卷　陳鼎撰。

復社姓氏傳略十卷　吳山嘉撰。

國朝耆獻類徵初編七百二十卷　編目十九卷　李桓撰。

碑傳集一百六十卷　錢儀吉撰。

續碑傳集八十六卷　繆荃孫撰。

國朝先正事略六十卷　李元度撰。

中興將帥別傳三十卷　一作《咸同以來功臣別傳》,一作《中興名臣事略》,一作

《續先正事略》。　續編六卷　朱孔彰撰。

大清名臣言行錄一卷　留保撰。

文獻徵存錄十卷　錢林撰。

從政觀法錄三十卷　朱方增撰。①

初月樓聞見錄十卷　續錄十卷　吳德旋撰。

學統五十六卷　熊賜履撰。

雒閩淵源錄十九卷　張夏撰。

聖學知統錄二卷　聖學知統翼編二卷　魏裔介撰。

道統錄二卷　附錄一卷　道南源委六卷　伊洛淵源續錄二十

卷　張伯行撰。

儒林宗派十六卷　萬斯同撰。

理學宗傳二十六卷　孫奇逢撰。

理學宗傳辨正十六卷　劉廷詔撰。

宋元學案一百卷　黃宗羲原本,全祖望補編。

明儒學案六十二卷　黃宗羲撰。

明儒林錄十九卷　張恒撰。

國朝學案小識十五卷　唐鑑撰。

國朝經學名儒記一卷　張星鑑撰。

國朝宋學淵源記二卷　附記一卷　江藩撰。

國朝儒林文苑傳四卷　阮元撰。

---

①　"增"原作"曾",據《清史稿藝文志及補編》、《清碑傳合集·朱方增傳》改。

康熙己未詞科録十二卷　秦瀛撰。

鶴徵録八卷　李集、李富孫、李遇孫同撰。

詞科掌録十七卷　餘話二卷　杭世駿撰。

鶴徵後録十二卷　李富孫撰。

疇人傳四十六卷　阮元撰。

續疇人傳六卷　羅士琳撰。

疇人傳三編七卷　諸可寶撰。

國朝名家詩鈔小傳二卷　鄭方坤撰。

畿輔人物志二十卷　孫承澤撰。

洛學編四卷　湯斌撰。

中州人物考八卷　孫奇逢撰。

中州道學編二卷　補編一卷　耿介撰。

關學編十卷　廉偉然撰。

東越儒林後傳一卷　文苑後傳一卷　陳壽祺撰。

閩中理學淵源考九十二卷　閩學志略十七卷　李清馥撰。

粵東名儒言行録二十四卷　鄧淳撰。

豫章十代文獻略五十卷　王模撰。

金華徵獻略二十卷　王崇炳撰。

嘉禾獻徵録四十六卷　盛楓撰。

松陵文獻録十五卷　潘檉章撰。

海州文獻録十六卷　許喬林撰。

吳門耆舊記一卷　顧承撰。

列女傳補注八卷　附　叙録一卷　校正一卷　閨秀王照圓撰。

列女傳校注八卷　閨秀梁端撰。

列女傳集注八卷　閨秀蕭道管撰。

廣列女傳二十卷　劉開撰。

勝朝彤史拾記六卷　毛奇齡撰。

賢媛類徵初編十二卷　李桓撰。

越女表徵録五卷　汪輝祖撰。

宋不著撰人　慶元黨禁一卷　京口耆舊傳九卷

元辛文房　唐子傳八卷　以上乾隆時奉敕輯。

魏稽康　聖賢高士傳一卷

後魏常景　鑒戒象讚一卷　以上馬國翰輯。

趙岐　三輔決録一卷

劉向　孝子傳一卷

蕭廣濟　孝子傳一卷

帥覺授　孝子傳一卷　以上黃奭輯。

　　　以上傳記類總録之屬

晏子春秋音義一卷　孫星衍撰。

晏子春秋校正一卷　盧文弨撰。

晏子春秋校勘一卷　黃以周撰。

周公年表一卷　牟廷相撰。

孔子年譜五卷　楊方晃撰。

孔子年譜輯注一卷　江永撰，黃定宜輯注。

孔子編年注五卷　胡培翬撰。

至聖編年世紀二十四卷　李灼、黃晟同撰。

先聖生卒年月考二卷　孔廣牧撰。

孔子世家考二卷　仲尼弟子列傳考一卷　鄭環撰。

宗聖志十二卷　孔允植撰。

闕里文獻考一百卷　孔繼汾撰。

孔子世家補訂一卷　孔門師弟年表一卷　孔孟年表一卷　孟
　子列傳纂一卷　孟子時事年表一卷　林春溥撰。

孔子編年四卷　孟子編年四卷　狄子奇撰。

洙泗考信録四卷　餘録一卷　孟子事實録二卷　崔述撰。

孔子弟子門人考一卷　孟子弟子門人考一卷　朱彝尊撰。

孟子年譜一卷　黃玉蟾撰。

孟子生卒年月考一卷　閻若璩撰。

孟子游歷考一卷　潘眉撰。

三遷志十二卷　孟衍泰、王特選、仲蘊錦同撰。

從祀名賢傳六卷　常安撰。

劉更生年表一卷　梅毓撰。

許君年表一卷　陶方琦撰。

鄭司農年譜一卷　孫星衍撰。

漢鄭君、晉陶靖節、魏陳思王、唐陸宣公年譜四卷　丁晏撰。

鄭康成紀年一卷　袁鈞撰。

鄭學録四卷　鄭珍撰。

諸葛忠武故事五卷　張澍撰。

忠武志八卷　張鵬翮撰。

王右軍年譜一卷　魯一同撰。

安定言行録一卷　丁寶書撰。

濂溪周夫子志十五卷　吳大鎔撰。

增訂歐陽文忠年譜一卷　朱文藻撰。

胡少師年譜一卷　胡培翬撰。

王荊公年譜二十五卷　雜録二卷　附録一卷　蔡上翔撰。

米海岳年譜一卷　翁方綱撰。

考訂朱子世家一卷　江永撰。

朱子年譜四卷　考異四卷　附録二卷　王懋竑撰。

重訂朱子年譜一卷　褚寅亮撰。

別本朱子年譜二卷　附録一卷　黃中撰。

陸象山年譜二卷　李紱撰。

楊文靖年譜二卷　張夏撰。

洪文惠年譜一卷　洪文敏年譜一卷　陸放翁年譜一卷　王伯
厚年譜一卷　錢大昕撰。

王深甯譜一卷　張大昌撰。

謝皋羽年譜一卷　徐沁撰。

元遺山年譜三卷　翁方綱撰。

元遺山年譜二卷　凌廷堪撰。

元遺山年譜一卷　施國祁撰。

周文襄公年譜二卷　周仁俊撰。

李文正公年譜一卷　法式善撰。

王文成集傳木二卷　毛奇齡撰。

王弇州年譜一卷　錢大昕撰。

歸震川年譜一卷　孫岱撰。

楊升庵年譜一卷　李調元撰。

周忠介公遺事一卷　彭定求撰。

繆文貞公年譜一卷　繆之鎔撰。

袁督師事蹟一卷　不著撰人氏名。

倪文正公年譜一卷　倪會鼎撰。

黃忠端公年譜二卷　黃炳垕撰。

左忠毅年譜二卷　左宰撰。

張忠烈公年譜一卷　趙之謙撰。

劉子行狀二卷　黃宗羲撰。

蕺山年譜二卷　劉汋撰。①

顧亭林年譜一卷　吳映奎撰。

---

① “汋”原作“均”，據《劉子全書》本書所題作者名改。

顧亭林年譜四卷　張穆撰。

黃黎洲年譜二卷　黃炳垕撰。

孫夏峰年譜二卷　湯斌撰。

李二曲歷年紀略二卷　惠龗嗣撰。

楊園先生年譜四卷　陳梓撰。

楊園先生年譜一卷　蘇惇元撰。

顏習齋先生年譜二卷　李瑔撰。

李恕谷先生年譜五卷　馮辰撰。

申鳧盟先生年譜一卷　申涵煜、申涵盼同撰。

甯海將軍固山貝子功績錄一卷　不著撰人氏名。

漁洋山人自訂年譜注一卷　惠棟撰。

施愚山年譜四卷　施念曾撰。

陸清獻年譜一卷　羅以智撰。

陸稼書年譜二卷　吳光西撰。

閻潛邱年譜四卷　張穆撰。

朱文端公行述一卷　朱必階撰。

阿文成年譜二十四卷　那彥成撰。

錢文端公年譜三卷　錢儀吉撰。

王述庵年譜二卷　嚴榮撰。

孫文靖年譜一卷　孫惠惇撰。

黃崑圃年譜一卷　黃叔琳撰。

黃蕘圃年譜一卷　江標撰。

戴東原年譜一卷　段玉裁撰。

洪北江年譜一卷　呂培撰。

焦理堂事略一卷　焦廷琥撰。

寄圃老人自記年譜一卷　孫玉庭撰。

思補老人自訂年譜一卷　潘世恩撰。

石隱山人自訂年譜一卷　朱駿聲撰。

彭文敬自訂年譜一卷　彭蘊章撰。

翁文端年譜一卷　翁同龢撰。

駱文忠年譜一卷　駱天保撰。

曾文正年譜十二卷　黎庶昌撰。

曾文正公大事記四卷　王定安撰。

吳柳堂孤忠録三卷　傅巖霖撰。

豫章先賢九家年譜九卷　四朝先賢六家年譜七卷　楊希閔撰。

四史疑年録七卷　阮元撰。①

歷代名人年譜十七卷　吳榮光撰。

疑年録四卷　錢大昕撰。

續疑年録四卷　吳修撰。

補疑年録四卷　錢椒撰。

疑年賡録二卷　張鳴珂撰。

三續疑年録十卷　陸心源撰。

　　　以上傳記類名人之屬

史鈔類

史緯三百三十卷　陳允錫撰。

讀史蒙拾一卷　王士禄撰。

廿一史約編十卷　鄭元慶撰。

漢書蒙拾三卷　後漢書蒙拾二卷　杭世駿撰。

漢書古字類一卷　郭夢星撰。

---

　　① “阮元”，《清史稿藝文志及補編》作“阮元妻劉文如”，宣統本《四史疑年录》本書所題作者作“阮劉文如”。

國志蒙拾二卷　郭麔撰。

宋書瑣語一卷　郝懿行撰。

兩晋南北集珍六卷　陳維崧撰。

南史識小録八卷　北史識小録八卷　沈名孫、朱昆田同撰。

南北史識小録補正二十八卷　張應昌撰。

南北史掮華八卷　周嘉猷撰。

新舊唐書合鈔二百六十卷　沈炳震撰。

載記類

吳越春秋校文一卷　蔣光煦撰。

吳越春秋校勘記一卷　逸文一卷　顧觀光撰。

讀吳越春秋一卷　讀越絶書札記一卷　俞樾撰。

越絶書札記一卷　逸文一名　錢培名撰。

增訂吳越備史五卷　補遺一卷　錢時鈺撰。

補華陽國志三州郡縣目録一卷　廖寅撰。

華陽國志勘記一卷　顧觀光撰。

十六國疆域志十六卷　洪亮吉撰。

十六國春秋輯補一百卷　十六國春秋纂録校本十卷　湯球撰。

十六國年表一卷　張愉曾撰。[①]

十六國年表三十二卷　孔尚質撰。

西秦百官表一卷　練恕撰。

十國春秋一百十四卷　吳任臣撰。

拾遺一卷　備考一卷　周昂撰。

---

①　"曾"原作"憎"，據《清史稿藝文志及補編》、《昭代叢書》本書所題作者名改。

南漢書十八卷　考異十八卷　叢録二卷　文字略二卷　梁廷
柟撰。①

南漢紀五卷　地理志一卷　金石志一卷　吳蘭修撰。

南唐拾遺記一卷　毛先舒撰。

西夏國志十六卷　洪亮吉撰。

西夏書事四十二卷　吳廣成撰。

西夏紀事本末三十六卷　張鑑撰。

西夏書十卷　周春撰。

西夏事略十六卷　陳崑撰。

晉陸翽　鄴中記一卷

唐樊綽　蠻書十卷

宋不著撰人　江南餘載二卷　乾隆時奉敕輯。

時令類

月令輯要二十四卷　圖説一卷　康熙五十四年,李光地等奉敕撰。

古今類傳歲時部四卷　董穀士、董炳文同編。

時令彙紀十六卷　餘日事文四卷　朱濂撰。

月日紀古十二卷　蕭智漢撰。

節序同風録十二卷　孔尚任撰。

七十二候考一卷　曹仁虎撰。

月令粹編二十四卷　秦嘉謨撰。

二十四史日月考二百三十六卷　汪曰楨撰。

古今冬至表四卷　譚澐撰。

---

①　"柟"原作"相",據《清碑傳合集・梁廷柟傳》改。

唐韓鄂四時纂要一卷　馬國翰輯輯。

地理類

皇輿表十六卷　康熙四十三年，喇沙里等奉敕撰。

方輿路程考略不分卷　康熙時，汪士鋐等奉敕撰。

大清一統志三百四十卷　乾隆八年敕撰。

大清一統志五百卷　乾隆二十九年敕撰。

皇朝職貢圖九卷　乾隆十六年，傅恒等奉敕撰。

歷代疆域表三卷　沿革表三卷　段長基撰。

歷代地理沿革表四十七卷　陳芳績撰。

東晉南北朝輿地表二十一卷　徐文范撰。

輿地沿革表四十卷　楊丕復撰。

周末列國所有郡縣考一卷　古國都今郡縣合考一卷　閔麟嗣撰。

戰國地輿一卷　林春溥撰。

楚漢諸候疆域志三卷　劉文淇撰。

歷代郡國考略三卷　葉澐撰。

今古地理述二十卷　王子音撰。

歷代地理沿革圖一卷　輿地圖一卷　歷代地理志韻編今釋二十卷　皇朝輿地韻編二卷　李兆洛撰。

王會新編一百四十五卷　茹鉉撰。

乾隆府廳州縣志五十卷　洪亮吉撰。

皇朝輿地全圖不分卷　董祐誠撰。

大清一統輿圖三十卷　胡林翼撰。

皇朝輿地韻編一卷　輿地略一卷　嚴德撰。

郡縣分韻考十卷　黃本驥撰。

肇域志一百卷　天下郡國利病書一百二十卷 顧炎武撰。

讀史方輿紀要一百三十卷　形勢紀要九卷 顧祖禹撰。

太平寰宇記補缺二卷 陳蘭森撰。

山河兩戒考十四卷 徐文靖撰。

晋太康三年地記一卷　王隱晋書地道記一卷

唐濮王泰等　括地志一卷 以上黃奭輯。

　　以上地理類總志之屬

滿洲源流考二十卷 乾隆四十二年,阿桂等奉敕撰。

熱河志八十卷 乾隆四十六年,和珅等奉敕撰。

日下舊聞考一百二十卷 乾隆三十九年敕撰。

日下舊聞四十二卷 朱彝尊撰。

盛京通志一百二十卷 乾隆四十四年,阿桂等奉敕撰。

新疆識略十三卷 道光元年,汪廷珍等奉敕撰。

盛京通志四十八卷 雷以誠等修。

幾輔通志一百二十卷 李衛等修。

幾輔通志三百卷 李鴻章等修。

江南通志二百卷 趙宏恩等修。

安徽通志二百六十卷 陶澍修。

安徽通志三百五十卷 劉坤一等修。

江西通志二百六卷 白璜等修。

江西通志一百六十二卷 謝旻等修。

江西通志一百八十卷 劉坤一等修。

浙江通志二百八十卷 稽曾筠等修。

福建通志七十八卷 郝玉麟修。

福建通志二百七十八卷 吳棠等修。

湖廣通志八十卷　徐國相等修。

湖廣通志一百二十卷　邁柱等修。

湖北通志一百卷　吳熊光等修。

湖南通志一百七十卷　陳宏謀修。

湖南通志二百二十八卷　巴哈布等修。

湖南通志三百十五卷　裕禄等修。

河南通志八十卷　王士俊等修。

續河南通志八十卷　阿思哈等修。

山東通志三十六卷　岳濬等修。

山東通志六十四卷　錢江等修。

山西通志二百三十卷　覺羅石麟等修。

山西通志一百八十四卷　張煦等修。

山西志輯要十卷　雅德撰。

陝西通志一百卷　劉於義等修。

甘肅通志五十卷　許容等修。

甘肅通志一百卷　長庚等修。

四川通志四十七卷　黃廷桂等修。

四川通志二百二十六卷　楊芳燦等修。

廣東通志六十四卷　郝玉麟等修。

廣東通志三百三十四卷　阮元等修。

廣西通志一百二十八卷　金鉷等修。

廣西通志二百八十卷　吉慶等修。

雲南通志三十卷　鄂爾泰等修。

續雲南通志稿一百九十四卷　王文韶等修。

貴州通志四十六卷　鄂爾泰等修。

吉林通志一百二十二卷　長順等修。

順天府志一百三十卷　李鴻章修。

保定府志八十卷 李振祜修。

承德府志六十卷 海忠修。

永平府志七十二卷 游智開修。

河間府志二十卷 周嘉露修。

天津府志四十卷 李梅賓修。

天津府志五十四卷 李鴻章修。

正定府志五十卷 鄭大進修。

順德府志十六卷 徐景曾修。

廣平府志二十四卷 吳毅修。

大名府志二十二卷 李煐修。

大名府志六卷 武蔚文修。

宣化府志四十二卷 王畹修。

江甯府志五十六卷 呂燕昭修。

江甯府志十五卷 蘇啟勛修。

蘇州府志八十卷 習寯撰。

蘇州府志一百六十卷 石韞玉撰。

蘇州府志一百五十卷 馮桂芬撰。

松江府志八十四卷 宋如林修。

松江府志四十卷 博潤修。

常州府志三十八卷 于琨修。

淮安府志三十二卷 顧棟高撰。

揚州府志四十卷 張萬壽修。

揚州府志七十二卷 張世浣修。

揚州府志三十卷 晏端書撰。

徐州府志三十卷 王峻修。

安慶府志三十二卷 張楷修。

徽州府志八卷 鄭交泰修。

甯國府志三十八卷　魯銓修。

池州府志五十八卷　張士範修。

太平府志四十四卷　朱肇基修。

廬州府志五十四卷　張祥雲修。

鳳陽府志二十一卷　馮煦修。

穎州府志十卷　王斂福修。

南昌府志七十六卷　黃良棟修。

饒州府志三十六卷　黃家遴修。

廣信府志二十六卷　康基淵修。

南康府志十二卷　廖文英修。

九江府志二十二卷　胡宗虞修。

建昌府志三十四卷　姚文光修。

撫州府志四十五卷　張四教修。

臨江府志十六卷　施閏章撰。②

瑞州府志二十四卷　黃廷金修。

袁州府志十五卷　陳喬樅撰。

吉安府志七十六卷　盧松修。

贛州府志七十八卷　李本仁修。

南安府志二十卷　陳奕禧撰。

南安府志三十二卷　黃鳴珂修。

杭州府志四十卷　馬鐸修。

杭州府志一百十卷　鄭澐修。

嘉興府志十六卷　吳永芳修。

嘉興府志八十卷　伊湯安修。

---

　　②　"閏"原作"潤"，據《清史稿藝文志及補編》、《清碑傳合集·翰林院侍讀施君閏章墓表》改。下《青源山志畧》所題作者名同。

嘉興府志九十卷 許瑶光修。

湖録一百五卷 鄭元慶撰。

湖州府志十二卷 程量修。

湖州府志四十八卷 李堂修。

湖州府志九十六卷 宗源瀚撰。

甯波府志三十六卷 曹秉仁修。

紹興府志六十卷 鄒尚周修。

紹興府志八十卷 李亨特修。

台州府志十八卷 馮甦修。

金華府志三十卷 张蓋修。

衢州府志三十五卷 楊廷望修。

嚴州府志三十五卷 吴士進修。

温州府志三十卷 汪爌修。

處州府志二十卷 曹掄彬修。

處州府志三十二卷 潘紹貽修。

福州府志七十六卷 高景崧修。

泉州府志七十六卷 章倬標修。

建甯府志四十八卷 張琦修。

延平府志四十六卷 徐震耀修。

汀州府志四十五卷 曾曰瑛修。

邵武府志三十卷 王琛修。

邵武府志二十四卷 張鳳孫修。

漳州府志五十卷 沈定均修。

福甯府志三十卷 李拔修。

臺灣府志二十六卷 六十七修。

武昌府志十二卷 裴天錫修。

漢陽府志五十卷 陶士僙修。

安陸府志三十六卷　張尊德修。

襄陽府志四十卷　陳諤修。

鄖陽府志十卷　王正常修。

鄖陽府志三十八卷　楊廷耀修。

德安府志二十四卷　傅鶴祥修。

黃州府志二十卷　王勍修。

荆州府志五十八卷　施廷樞修。

宜昌府志十六卷　聶光鑾修。

施南府志三十卷　松林修。

長沙府志五十卷　吕肅高修。

岳州府志三十卷　黄凝道修。

寶慶府志一百五十七卷　黄宅中修。

衡州府志三十二卷　饒佺修。

常德府志四十八卷　應光烈撰。

辰州府志十一卷　畢本烈修。

沅州府志四十卷　張官五修。

永州府志十八卷　宗績辰撰。

永順府志十二卷　張天如修。

開封府志四十卷　管竭忠修。

陳州府志三十卷　崔應階修。①

歸德府志三十六卷　陳錫輅修。

彰德府志三十二卷②　湯康業修。

衛輝府志五十五卷　德昌修。

---

①　"階"原作"楷"，據《清史稿藝文志及補編》、《中國地方志集成》本書所題作者名改。

②　"德"原作"州"，據《清史稿藝文志及補編》、《中國地方志集成》本書所題書名改。

懷慶府志三十二卷 杜悰修。

河南府志一百十六卷 施誠修。

南陽府志六卷 孔傳金修。

汝甯府志三十卷 德昌修。

濟南府志七十二卷 王贈芳修。

泰安府志三十二卷 成城修。

武定府志三十八卷 李熙齡修。

兗州府志三十二卷 陳顧灜修。

沂州府志二十三卷 李希賢修。

曹州府志二十二卷 周尚質修。

東昌府志五十卷 白嵩修。

青州府志六十四卷 毛永相修。

登州府志六十九卷 賈瑚修。

萊州府志十六卷 嚴有禧修。

太原府志六十卷 沈樹聲修。

平陽府志三十六卷 章廷珪修。

蒲州府志二十四卷 周景柱修。

潞安府志四十卷 张淑渠修。

汾州府志三十六卷 孫和相修，戴震撰。

澤州府志五十二卷 朱樟修。

大同府志三十二卷 吳輔宏修。

甯武府志十二卷 周景柱修。

朔平府志十二卷 劉士銘修。

西安府志八十卷 嚴長明撰。

同州府志三十四卷 李思繼修。

鳳翔府志十二卷 達靈阿修。

漢中府志三十二卷 嚴如煜撰。

興安府志三十卷　葉世倬修。

延安府志八十卷　張薫①修。

榆林府志五十卷　李熙齡修。

蘭州府志四卷　陳如稷修。

西甯志七卷　蘇鋭修。

甘州府志十六卷　鍾賡起修。

保甯府志六十二卷　史觀修。

重慶府志九卷　王夢庚修。

夔州府志三十六卷　恩成修。

雅州府志二十卷　陳鈞修。

廣州府志六十卷　沈廷芳修。

肇慶府志二十一卷　何夢瑤撰。

韶州府志十六卷　唐宗堯修。

惠州府志二十卷　呂應奎修。

惠州府志四十五卷　劉溎年修。

潮州府志四十二卷　廉州府志二十卷　周碩勳修。

高州府志十六卷　黃安濤撰。

雷州府志二十卷　雷學海修。

瓊州府志四十四卷　張岳崧撰。

平樂府志四十卷　清桂修。

潯州府志三十九卷　魏篤修。

鎮安府志八卷　傅聚修。

雲南府志三十卷　張毓修。

大理府志三十卷　黃元治修。

---

①　"張薫"，《清史稿藝文志及補編》本作"張薫洪"；《中國地方志聯合目录》作"洪薫"。

臨安府志二十卷　江濬源修。

楚雄府志十卷　張嘉穎修。

澂江府志十六卷　柳正芳修。

廣南府志四卷　何愚修。

順甯府志十卷　劉埥修。

曲靖府志八卷　程封修。

麗江府志二卷　萬咸燕修。

永昌府志二十六卷　宣世濤修。

永北府志二十八卷　陳奇典修。

東川府志二十卷　方桂修。

思州府志八卷　蔣深修。

鎮遠府志二十卷　蔡宗建修。

銅仁府志十一卷　徐闓修。

黎平府志四十一卷　劉宇昌修。

遵義府志四十八卷　鄭珍、莫友芝同撰。

遵化直隸州志十二卷　劉靖修。

易州直隸州志十八卷　張登高修。

冀州直隸州志二十卷　范清曠修。

趙州直隸州志十卷　祝萬祉修。

深州直隸州風土記二十二卷　吳汝綸撰。

定州直隸州志四卷　王榕吉修。

口北三廳志十八卷　黃可潤修。

川沙廳志十四卷　俞樾撰。

海州直隸州志三十二卷　唐仲冕撰。

通州直隸州志十五卷　王宜亨修。

廣德直隸州志五十卷　周廣業修。

滁州直隸州志三十卷　敦泰修。

和州直隸州志二十四卷　夏燁修。

六安直隸州志五十卷　周廣業修。

泗州直隸州志十八卷　莫之幹修。

蓮花廳志十卷　李其昌修。

甯州直隸州志三十二卷　劉丙修。

定南廳志八卷　賴勳修。

定海直隸廳志三十卷　陳重威、黃以周同撰。

玉環廳志四卷　張坦龍修。

玉環廳志十五卷　呂鴻燾修。

廈門廳志十六卷　周凱修。

永春直隸州志十六卷　龍巖直隸州志十六卷　鄭一崧修。

噶瑪蘭廳志八卷　董正官修。

淡水廳志十五卷　陳培桂修。

荊門直隸州志十二卷　黃昌輔修。

鶴峰直隸廳志十四卷　吉鍾潁修。

澧州直隸州志二十八卷　魏式曾修。

桂陽直隸州志二十七卷　陳延榮修。

鳳皇直隸廳志二十卷　黃應培修。

永綏直隸廳志十八卷　周玉衡修。

乾州直隸廳志十六卷　趙文在修。

晃州直隸廳志四十四卷　俞光振修。

靖州直隸州志十二卷　汪尚文修。

郴州直隸州志四十三卷　朱偓修。

鄭州直隸州志十二卷　張鉞修。

許州直隸州志十六卷　段汝舟修。

陝州直隸州志二十卷　龔崧林修。

淅川直隸廳志九卷　徐光第修。

汝州直隸州志十卷　錢福昌修。

濟甯直隸州志三十四卷　周永年、盛百二同撰。

臨清直隸州志十一卷　朱度修。

膠州直隸州志八卷　於智修。

平定直隸州志十卷　金明源修。

忻州直隸州志四十二卷　方戊昌修。

代州直隸州志六卷　吳重光修。

保德直隸州志十二卷　王秉韜修。

霍州直隸州志二十五卷　崔允臨修。

解州直隸州志十八卷　言如泗修。

絳州直隸州志二十卷　張成德修。

沁州直隸州志十卷　雷暢修。

商州直隸州志十四卷　王如玖修。

潼關廳志九卷　楊端本修。

定遠廳志二十六卷　余修鳳修。

留壩廳志十卷　賀仲瑊修。

漢陰廳志十卷　錢鶴年修。

郿州直隸州志十卷　吳鳴捷修。

涇州直隸州志二卷　張延福修。

階州直隸州志二卷　林忠修。

秦州直隸州志十二卷　任其昌修。

肅州直隸州志不分卷　黃文煒修。

循化廳志八卷　龔景瀚撰。

資州直隸州志三十卷　劉熽修。

綿州直隸州志五十四卷　范紹泗修。

茂州直隸州志四卷　楊迦懌修。

馬邊廳志六卷　周斯才修。

叙永直隸廳志四十六卷 周偉葉修。

江北廳志八卷 宋煊修。

酉陽直隸州志二十四卷 馮世瀛修。

忠州直隸州志八卷 吕銀麟撰。

石砫直隸廳志十二卷 王槐齡修。

眉州直隸州志十九卷 徐長發修。

邛州直隸州志四十六卷 吳鞏修。

連州直隸州志十二卷 單興詩修。

連山直隸廳志一卷 姚東之修。

南雄直隸州志三十四卷 黃其勤修。

嘉應直隸州志十二卷 王之正修。

欽州直隸州志十二卷 朱椿年修。

陽江直隸州志八卷 胡琿修。

崖州直隸州志十卷 宋錦修。

景東直隸廳志二十八卷 羅含章修。

廣西府志二十六卷 周埰修。

元江直隸州志四卷 廣裕修。

蒙化直隸廳志六卷 徐時行修。

永北府志二十八卷 陳奇典修。

鎮邊撫彝直隸廳志八卷 謝體仁修。

永清縣志二十四卷 章學誠撰。

遷安府志二十卷　撫甯縣志十二卷 史夢蘭撰。

靈壽縣志十卷 陸隴其撰。

上元江甯志三十卷 莫友芝、甘紹盤同撰。

高淳縣志二十八卷 張裕釗撰。

吳江縣志四十六卷 郭琇撰。

黎里志十六卷 徐達源撰。

崇明縣志十八卷　李聯琇撰。

華亭縣志二十四卷　姚光發、張文虎撰。

婁縣志三十卷　陸錫熊撰。

上海縣志二十卷　李林松撰。

南匯縣志二十二卷　張文虎撰。

青浦縣志四十卷　王昶撰。

武進陽湖縣志三十卷　湯成烈撰。

無錫金匱縣志四十卷　秦緗業撰。

宜興荊溪縣志十卷　吳德旋撰。

荊溪縣志四卷　唐仲冕撰。

丹徒縣志六十卷　呂耀斗撰。

寶應圖經六卷　劉寶楠撰。

邳州志二十卷　清河縣志二十四卷　魯一同撰。

山陽縣志二十一卷　何紹基、丁晏同撰。

合肥縣志三十六卷　左輔撰。

鳳臺縣志十二卷　李兆洛撰。

弋陽縣志十四卷　宜春縣志十五卷　分宜縣志十五卷　萬載
縣志十八卷　陳喬樅撰。

海昌備志十六卷　錢泰吉撰。

海鹽縣續圖經七卷　王爲珪撰。

南潯鎮志四十一卷　汪曰楨撰

黃巖縣志四十卷　王詠霓撰。

羅源縣志三十卷　林春溥撰。

臺灣縣志十七卷　王禮撰。

黃岡縣志二十四卷　劉恭冕撰。

麻城縣志五十六卷　潘頤福撰。

東湖縣志三十卷　王栢心撰。

湘陰縣志三十六卷　郭嵩燾撰。

武陵縣志三十一卷　楊丕復、楊彝珍同撰。

龍陽縣志三十一卷　黃教鎔撰。

杞紀二十二卷　張楨撰。

孟縣志十卷　馮敏昌撰。

偃師縣志三十卷　孫星衍撰。

登封縣志二十八卷　洪亮吉撰。

新城縣志十四卷　王士禛撰。

曲阜縣志二十六卷　孔毓琚撰。

聊城縣志四卷　傅以漸撰。

雲石縣志十二卷　王志瀜撰。

澄城縣志二十一卷　洪亮吉、孫星衍同撰。

武威縣志一卷　鎮番縣志一卷　永昌縣志一卷　古浪縣志一卷　平番縣志一卷　張玿美撰。

什邡縣志五十四卷　紀大奎撰。

羅江縣志十卷　李調元撰。

遂甯縣志六卷　張鵬翮撰。

新會縣志十四卷　黃培芳、曾釗同撰。

師宗州志二卷　夏治元撰。

彌勒州志二十七卷　王緯撰。

祿勸州志二卷　李廷宰撰。

永甯州志十二卷　沈毓蘭撰。

　　以上地理類都會郡縣之屬

盤山志二十一卷　乾隆十九年，蔣溥等奉敕撰。

清涼山新志十卷　康熙間敕撰。

萬山綱目二十一卷　李誠撰。

長白山録一卷　補遺一卷　王士禛撰。

萬歲山考證一卷　昌平山水記二卷　岱岳記一卷　顧炎武撰。

泰山志二十卷　金棨撰。

泰山道里記一卷　聶鈫撰。

岱覽三十二卷　唐仲冕撰。

泰山述記十卷　宋思仁撰。

説嵩三十二卷　嵩岳廟史十卷　景日昣撰。

南岳志八卷　高自位撰。

嶽麓志八卷　趙甯撰。

華岳志八卷　李榕撰。

恒岳志三卷　張崇德撰。

恒山志五卷　桂敬順撰。

攝山志八卷　陳毅撰。

寶華山志十五卷　劉名芳撰。

盔山志八卷①　顧雲撰

茅山志十四卷　笪重光撰。

北固山志二卷　釋了璨撰。

金山志略四卷　釋行海撰。

焦山志二十六卷　吳雲撰。

虎邱山志二十四卷　顧詒禄撰。

慧山記續編四卷　邵涵初撰。

黃山志七卷　閔麟嗣撰。

九華紀勝二十三卷　齊山巖洞志二十六卷　陳蔚撰。

廬山小志二十四卷　蔡瀛撰。

青源山志略十三卷　施閏章撰。

---

①　“盔”原作“盍”，據《清史稿藝文志及補編》、《中國地方志集成》所題書名改。

四明山志九卷　黃宗羲撰。

普陀山志十五卷　朱謹、陳璿同撰。

西天目祖山志八卷　釋廣賓撰。

天台山全志十六卷　張聯元撰。

廣雁蕩山志三十卷　曾唯撰。

天竺山志十二卷　管廷芳撰。

武夷山新志二十四卷　董天工撰。

麻姑山丹霞洞天志十七卷　羅森撰。

鼓山志十二卷　僧元賢撰。

大別山志十卷　黃鵠山志十二卷　胡鳳丹撰。

蓮峰志五卷　王夫之撰。

洛陽龍門志一卷　路朝霖撰。

太岳太和山紀略八卷　王概撰。

峩眉山志十八卷　蔣超撰。

羅浮山志會編二十二卷　宋廣業撰。

西樵志六卷　馬符錄撰。

桂鬱巖洞志一卷　賈敦臨撰。

雞足山志十卷　范承勳撰。

水經注集釋訂譌四十卷　沈炳巽撰。

水經注釋四十卷　刊誤十二卷　附錄一卷　趙一清撰。

水經注校三十卷　水地記一卷　戴震撰。

水經注校正四十卷　補遺一卷　附錄一卷　全祖望撰。

水經注釋地四十卷　水道直指一卷　補遺一卷　張匡學撰。

水經釋地八卷　孔繼涵撰。

水經注疏證四十卷　沈欽韓撰。

水經注圖說殘稿四卷　董祐誠撰。

水經注西南諸水考三卷　陳澧撰。

水經注洛涇二水補一卷　謝鍾英撰。

水經注圖二卷　汪士鐸撰。

合校水經注四十卷　附錄二卷　王先謙撰。

河源紀略三十六卷　乾隆四十七年，紀昀、陸錫熊等奉敕撰。

今水經一卷　黃宗羲撰。

水道提綱二十八卷　齊召南撰。

江源説一卷　查拉吳麟撰。

導江三議一卷　王柏心撰。

長江圖説十卷　黃翼升撰。

淮流一勺二卷　范以煦撰。

崑崙河源考一卷　萬斯同撰。

黃河全圖五卷　吳大澂、倪文蔚同撰。

中國黃河經緯度圖一卷　梅啟照撰。

歷代黃河變遷圖考四卷　劉鶚撰。

東西二漢水辨一卷　王士禛撰。

漢水發源考一卷　王筠撰。

直隸河渠志一卷　陳儀撰。

二渠九河圖考一卷　孫彤撰。

永定河志三十二卷　李逢亨撰。

西域水道記五卷　徐松撰。

關中水道記一卷　孫彤撰。

蜀水考四卷　陳登龍撰。

汴水説一卷　朱際虞撰。

漳水圖經一卷　姚東之撰。

山東全河備考四卷　葉方恒撰。

山東運河備覽十二卷　陸燿撰。

揚州水道記四卷　劉文淇撰。

太湖備考十六卷　金友理撰。

新劉河志一卷　婁江志一卷　顧士槤撰。

章水經流考一卷　朱際虞撰。

浙江圖考三卷　阮元撰。

洞庭湖志十四卷　萬年淳撰。

兩河清彙八卷　薛鳳祚撰。

河紀二卷　孫承澤撰。

居濟一得八卷　張伯行撰。

治河奏績書四卷　靳輔撰。

幾輔水利輯覽一卷　水利營田圖說一卷　幾輔河道管見一卷　水利私議一卷　吳邦慶撰。

河防芻議六卷　崔維雅撰。

幾輔水利四案四卷　附錄一卷　潘錫恩撰。

幾輔安瀾志十卷　王履泰撰。

畿輔水利議一卷　林則徐撰。

北河續記八卷　閻廷謨撰。

行水金鑑一百七十五卷　傅澤洪撰。

續行水金鑑一百五十六卷　黎世垿撰。

五省溝洫圖說一卷　沈夢蘭撰。

西北水利議一卷　許承宣撰。

東南水利八卷　沈愷曾撰。

明江南治水記一卷　陳士鑛撰。

三吳水利條議一卷　錢中諧撰。

江蘇水利圖說二十一卷　陶澍撰。

江蘇水利全案正編四十卷　附編十二卷　李慶雲撰。

浙西水利備考八卷　王鳳生撰。

西湖水利考一卷　吳農祥撰。

蕭山水利書七卷 來鴻雯、張文瑞、張學懋同撰。

湘湖水利志三卷 毛奇齡撰。

海塘新志六卷 兩浙海塘通志二十卷 方觀承撰。

海塘擥要十二卷 楊鑅撰。

捍海塘志一卷 錢文瀚撰。

海塘錄二十六卷 翟均廉撰。

海道圖説十五卷 金約撰。

元沙克什河防通議二卷

王喜 治河圖略一卷 以上乾隆時奉敕輯。

　　　以上地理類山川河渠之屬

西域圖志五十二卷 乾隆二十一年，劉統勳等奉敕撰。

藩部要略十八卷 西陲要略四卷 西域釋地一卷 西域行程
　記一卷 萬里行程記四卷 祁韻士撰。

蒙古游牧記十六卷 張穆撰。

漢西域圖考七卷 李光廷撰。

西陲總統事略十二卷 松筠撰。

西域聞見錄八卷 七十一撰。

衞藏圖志五十卷 盛繩祖撰。

西藏通考八卷 黃沛翹撰。

康輶紀行十六卷 姚瑩撰。

金川瑣記六卷 李心衡撰。

西游記金山以東釋一卷 沈垚撰。

朔方備乘八十五卷 何秋濤撰。

三州輯略九卷 和甯撰。

蠻司合志十五卷 毛奇齡撰。

楚南苗志六卷　段汝霖撰。

苗防備覽二十二卷　三省邊防備覽十六卷　嚴如熤撰。①

苗蠻合志二卷　曹樹翹撰。

楚峒志略一卷　吳省蘭撰。

雲緬山川志一卷　李榮陛撰。②

臺灣紀略一卷　林謙光撰。

澎湖紀略十二卷　胡建偉撰。

澳門記略二卷　印光任、張汝霖同撰。

海防述略一卷　杜臻撰。

海防備覽十卷　薛傅源撰。

防海輯要十八卷　圖一卷　俞昌會撰。

洋防輯要二十四卷　嚴如熤撰。

　　　以上地理類邊防之屬

西湖志纂十二卷　乾隆十六年，梁詩正奉敕撰。

歷代帝王宅京記二十卷　顧炎武撰。

歷代陵寢備考五十卷　宗廟附考八卷　朱孔陽撰。

帝陵圖說四卷　梁份撰。

唐兩京城坊考五卷　徐松撰。

宋東京考二十卷　周城撰。

圓明園記一卷　黃凱鈞撰。

南宋古蹟考二卷　周春撰。

北平古今記十卷　建康古今記十卷　營平二州地名記一卷

---

　　①　據清錢儀吉《碑傳集》卷末下所載陶澍《如煜墓志銘》，"嚴如煜"當作"嚴如熤"。
下同。

　　②　"陛"原作"陞"，據《清史稿藝文志及補編》、《問影樓輿地叢書》本書所題作者
名改。

山東考古録一卷　譎觚一卷　顧炎武撰。

關中勝蹟圖志三十二卷　畢沅撰。

江城名蹟二卷　陳宏緒撰。

潞城考古録二卷　劉錫信撰。

兩浙防護録不分卷　阮元撰。

西湖志四十六卷　傅玉露撰。

先聖廟林記一卷　屈大均撰。

闕里廣志二十卷　宋際、宋慶長同撰。①

闕里述聞十四卷　鄭曉如撰。

倉聖廟志一卷　祝炳森撰。

梅里志四卷　吳存禮撰。

伍公廟志六卷　金志章撰。

卧龍岡志二卷　羅景星撰。

鸚鵡洲志四卷　胡鳳丹撰。

蘭亭志一卷　王復禮撰。

南岳二賢祠志八卷　尹繼隆撰。

濂溪志七卷　周誥譔。

岳廟志略十卷　馮培撰。

于忠肅公祠墓録十二卷　丁丙撰。

平山堂小志十二卷　程夢星撰。

滄浪小志二卷　宋犖撰。

竹垞小志五卷　阮元撰。

白鹿書院志十九卷　毛德琦撰。

鵝湖講舍彙編十二卷　鄭之僑撰。

---

①　“宋慶長”原作“李慶長”，據《清史稿藝文志及補編》、《四庫全書存目叢書》本書所題作者名改。

明道書院紀績四卷　章秉法撰。

東林書院志二十二卷　高崒、高隆、高廷珍、高陛、許獻同撰。

毓文書院志八卷　洪亮吉撰。

學海堂志一卷　林伯桐撰。

文瀾閣志二卷　孫樹禮等撰。

以上地理類古蹟之屬

宸垣識略十六卷　吳長元撰。

天府廣記四十四卷　孫承澤撰。

金鰲退食筆記二卷　松亭行紀二卷　塞北小鈔一卷　東巡扈
從日錄一卷　西巡扈從日錄二卷　高士奇撰。

都門紀略四卷　楊靜亭撰。

盛京疆域考六卷　楊同桂、孫宗瀚同撰。

遼載前集二卷　林本裕撰。

吉林外紀十卷　薩英額撰。

黑龍江外紀四卷　西清撰。

龍江述略六卷　徐宗亮撰。

龍沙紀略一卷　方式濟撰。

甯古塔紀略一卷　吳振臣撰。

柳邊紀略五卷　楊賓撰。

封長白山記一卷　方象瑛撰。

畿輔地名考三卷　王灝撰。

顏山雜記四卷　孫廷銓撰。

津門雜記三卷　張燾撰。

江南星野辨一卷　葉燮撰。

三吳采風類記十卷　張大純撰。

百城烟水九卷　徐崧、張大純同撰。

白下瑣言十卷　甘熙撰。

清嘉録十二卷 顧禄撰。

具區志十六卷 翁澍撰。

林屋民風十二卷 王維德撰。

廣陵通典三十卷 汪中撰。

廣陵事略七卷 姚文田撰。

揚州畫舫録十八卷 李斗撰。

刊記六卷　北湖小志五卷 焦循撰。

淮壖小記六卷 范以煦撰。

桃溪客語五卷 吳騫撰。

太倉風俗記一卷 程穆衡撰。

雲間第宅志一卷 王雲撰。

皖省志略四卷 朱雲錦撰。

皖游紀略二卷 陳克劭撰。

姑孰備考八卷 夏之符撰。

杏花村志十二卷 郎遂撰。

二樓小志四卷 程元愈撰，汪越、沈廷璐補。

潯陽蹴䤖六卷 文行遠撰。

東鄉風土記一卷　鵝湖書田志四卷 吳嵩梁撰。

浙江通志圖説一卷 沈德潛撰。

杭志三詰三誤辨一卷 毛奇齡撰。

武林志餘三十二卷 張暘撰。

西湖夢尋五卷 張岱撰。

西湖覽勝志十四卷 夏基撰。

增修雲林寺志八卷 厲鶚撰。

武林第宅考一卷 柯汝霖撰。

東城雜記四卷 厲鶚撰。

北隅掌録二卷 黃士珣撰。

清波小志二卷　徐逢吉撰。

南湖紀略藁六卷　邱峻撰。

龍井見聞録六卷　汪孟鋗撰。

定鄉小志十六卷　張道撰。

湖壖雜記一卷　北墅瑣言一卷　陸次雲撰。

唐棲景物略二卷　張半菴撰。

乍浦九山補志十二卷　李確撰。

峽石山水志一卷　蔣宏任撰。

濮川所聞録六卷　金淮、濮璜同撰。

海昌外志不分卷　談遷撰。

石柱記箋釋五卷　鄭元慶撰。

四明談助十六卷　徐兆昺撰。

越中觀感録一卷　陳錦撰。

蕭山縣志刊誤三卷　毛奇齡撰。

儔陽雜録一卷　張大來撰。

甌江逸志一卷　勞大與撰。

江心志十二卷　釋元奇撰。

閩越巡視紀略六卷　杜臻撰。

閩小紀四卷　周亮工撰。

續閩小紀一卷　黎定國撰。

臺海使槎録八卷　黃叔璥撰。

東槎紀略五卷　姚瑩撰。

中州雜俎三十五卷　汪价撰。

鄂署雜鈔十二卷　汪爲熹撰。

光緒湖北輿地記二十四卷　不著撰人氏名。

漢口叢談六卷　范鍇撰。

監利風土記一卷　王柏心撰。

湖南方物志八卷　黃本驥撰。

浯溪考二卷　王士禛撰。

澧志舉要三卷　補一卷　潘相撰。

海岱史略一百三十卷　王馭超撰。

濟甯圖記二卷　王元啓撰。

海岱日記一卷　張榕端撰。

雲中紀程二卷　高懋功撰。

高平物産記二卷　鄒漢勛撰。

河套志六卷　陳履中撰。

延綏鎮志六卷　譚吉璁撰。

陝西南山谷口考一卷　毛鳳梧撰。

三省山内風土雜記一卷　嚴如熤撰。

新疆大記六卷　闞鳳樓撰。

伊犛日記二卷　天山客話二卷　洪亮吉撰。

荷戈紀程一卷　林則徐撰。

輪臺雜記二卷　史善長撰。

蜀徼紀聞四卷　隴蜀餘聞一卷　王士禛撰。

蜀典十二卷　張澍撰。

蜀都碎事六卷　陳祥裔撰。

錦江脞記十二卷　戴璐撰。

廣東新語二十六卷　屈大均撰。

羊城古鈔八卷　仇巨川撰。

廣州游覽志一卷　王士禛撰。

嶺南雜記二卷　吳方震撰。

韓江聞見錄十卷　鄭昌時撰。

南粵筆記十六卷　李調元撰。

嶺海見聞四卷　錢以塏撰。

粵行紀事三卷　瞿昌文撰。

嶺南風物記一卷　吳綺撰。

連陽八排風土記八卷　李來章撰。

惠陽山水紀勝四卷　吳騫撰。

星餘筆記一卷　王鉞撰。

粵西偶記一卷　陸祚蕃撰。

桂游日記三卷　張維屏撰。

滇繫四十卷　師範撰。

雲南備徵志二十一卷　王崧撰。

滇南雜志二十四卷　曹樹翹撰。

滇海虞衡志十三卷　檀萃撰。

洱海叢談一卷　釋同揆撰。

滇黔土司婚禮記一卷　陳鼎撰。

黔書二卷　田雯撰。

續黔書八卷　張澍撰。

黔記四卷　李宗昉撰。

黔話二卷　吳振棫撰。

黔軺紀程一卷　黎培敬撰。

淮西見聞記一卷　俞慶遠撰。

唐劉恂　嶺表錄異三卷

元訥新　河朔訪古記二卷　以上乾隆時奉敕輯。

　　　以上地理類雜志之屬

海國聞見錄二卷　陳倫炯撰。

坤輿圖志二卷　西洋南懷仁撰。

異域錄一卷　圖理琛撰。

八紘譯史四卷　紀餘四卷　八紘荒史一卷　陸次雲撰。

海録二卷　楊炳南撰。

瀛寰志略十卷　徐繼畬撰。

海國圖志一百卷　魏源撰。

朝鮮史略六卷　不著撰人氏名。

朝鮮載記備編二卷　朝鮮史表一卷　周家禄撰。

奉使朝鮮日記一卷　柏葰撰。

朝鮮箕田考一卷　韓百謙撰。

越史略三卷　不著撰人氏名。

海外紀事六卷　釋大汕撰。

安南史事記一卷　李仙根撰。

安南紀游一卷　潘鼎珪撰。

越南世系沿革略一卷　越南山川略一卷　中外交界各隘卡略
一　卷　徐延旭撰。

中山沿革志二卷　汪楫撰。

中山傳信録六卷　徐葆光撰。

琉球志略十五卷　周煌撰。

續琉球志略五卷　費錫章撰。

中山見聞辨異二卷　黃景福撰。

記琉球入學始末一卷　王士禎撰。

琉球入學見聞録四卷　潘相撰。

琉球朝貢考一卷　王韜撰。

緬述一卷　彭崧毓撰。

緬事述聞一卷　師範撰。

緬甸瑣記一卷　傅顯撰。

征緬紀聞一卷　王昶撰。

從征緬甸日記一卷　朱裕撰。

滇緬邊界紀略一卷　不著撰人氏名。

暹邏考略一卷　龔柴撰。

暹邏別記一卷　李麟光撰。

日本外史二十二卷　賴襄撰。

日本圖經三十卷　傅雲龍撰。

日本國志四十卷　黃遵憲撰。

日本新政考二卷　顧厚焜撰。

東槎聞見錄四卷　陳家麟撰。

使東雜記一卷　何如璋撰。

東游叢錄四卷　吳汝綸撰。

使俄羅斯行程錄一卷　張鵬翮撰。

綏服紀略一卷　松筠撰。

俄羅斯國紀要一卷　林則徐撰。

俄游彙編十二卷　繆祐孫撰。

俄羅斯疆界碑記一卷　徐元文撰。

吉林勘界記一卷　吳大澂撰。

中俄交界圖不分卷　洪鈞撰。

西北邊界俄文譯漢圖例言一卷　　帕米爾圖說一卷　許景澄撰。

東三省韓俄交界表一卷　聶士成撰。

使俄草八卷　王之春撰。

英吉利考略一卷　汪文臺撰。

英政概一卷　　英藩政概四卷　　法政概一卷　劉錫彤撰。

法國志略二十四卷　王韜撰。

英法德俄四國志略四卷　沈敦和撰。

美利加圖經三十二卷　傅雲龍撰。

初使泰西記一卷　宜厚撰。

乘槎筆記一卷　斌春撰。

使西紀程一卷 郭嵩燾撰。

奉使英倫記一卷 黎庶昌撰。

英軺私記一卷 劉錫鴻撰。

西軺紀略四卷 劉瑞芬撰。

出使英法日記二卷 曾紀澤撰。

出使英法義比日記六卷　續十卷 薛福成撰。

出使美日秘日记十六卷 崔國因撰。

使德日記一卷 李鳳苞撰。

李傅相歷聘歐美記二卷 察爾康編。

三洲日記八卷 張蔭桓撰。

游歷巴西圖經十卷 游歷圖經餘記十五卷 傅雲龍撰。

使美紀略一卷 陳蘭彬撰。

四述奇十六卷 張德彝撰。

環游地球新錄四卷 李圭撰。

西史綱目二十卷 周維翰撰。

邊事彙鈔十二卷　續鈔七卷 朱克敬撰。

宋趙汝适　諸蕃志二卷 乾隆時奉敕輯。

以上地理類外志之屬

職官類

詞林典故八卷 乾隆九年，鄂爾泰等奉敕撰。

皇朝詞林典故六十四卷 嘉慶十年，朱珪等奉敕撰。

國子監志六十二卷 乾隆四十三年，梁國治等奉敕撰。

歷代職官表六十三卷 乾隆四十五年敕撰。

刑部則例二卷 康熙十八年敕撰。

工部則例五十卷 乾隆十四年,史貽直等奉敕撰。

工部續增則例九十五卷 乾隆二十四年,史貽直奉敕撰。

吏部則例六十六卷 乾隆三十七年,傅恒等奉敕撰。

户部則例一百二十卷 乾隆四十一年,于敏中等奉敕撰。

户部則例一百卷 同治十二年,潘祖蔭等奉敕撰。

禮部則例一百九十四卷 乾隆四十九年,德保等奉敕撰。

兵部處分則例三十九卷 道光五年,明亮等奉敕撰。

金吾事例十卷 咸豐三年,步軍統領衙門奉敕撰。

内務府則例四卷 光緒十年,福錕等奉敕撰。

宗人府則例二十卷 光緒十四年,世鐸等奉敕撰。

理藩院則例六十四卷 光緒十七年,松森等奉敕撰。

光禄寺則例九十卷 官本。

古官制考一卷 王寶仁撰。

歷代官制考略二卷 葉檉撰。

漢官答問五卷 陳樹鏞撰。

漢州郡縣吏制考一卷 強汝詢撰。

唐折衝府考四卷 勞經撰。

樞垣紀略十六卷 梁章鉅撰。

重修樞垣紀略二十六卷 朱智等撰。

中書典故考八卷 王正功撰。

槐廳載筆二十卷 清祕述聞十六卷 法式善撰。

清祕述聞續十六卷 王家相撰。

國朝翰詹源流編年二卷 館選爵里謚法考二卷 吳鼎雯撰。

南臺舊聞十六卷 黃叔璥撰。

春曹儀注一卷 王士禛撰。

南省公餘録八卷 梁章鉅撰。

宋程俱　麟臺故事五卷

陳騤　南宋館閣錄十卷　不知撰人續錄十卷　以上乾隆時敕輯。

　　以上職官類官制之屬

人臣儆心錄一卷　順治十二年，世祖御撰。

朋黨論一卷　雍正三年，世宗御撰。

訓飭州縣條規二十卷　雍正八年敕撰。

政學錄五卷　鄭端撰。

爲政第一編八卷　孫鋐撰。

百僚金鑑十二卷　牛天宿撰。

臣鑑錄二十卷　蔣伊撰。

大臣法則八卷　謝文洊撰。

學仕遺規八卷　在官法戒錄四卷　陳宏謀撰。

居官日省錄六卷　烏爾通阿撰。

居官寡過錄六卷　李元春撰。

臨民金鏡錄一卷　趙殿成撰。

從政餘談一卷　王定柱撰。

學治臆說二卷　續說一卷　說贅一卷　汪輝祖撰。

庸吏庸言二卷　庸吏餘談二卷　蜀僚問答一卷　劉衡撰。

牧令書二十三卷　徐棟撰。

勸諭牧令文一卷　黃輔辰撰。

勸戒淺語一卷　曾國藩撰。

吏治輯要一卷　倭仁撰。

福惠全書三十二卷　黃六鴻撰。

道齊正軌二十卷　鄒鳴鶴撰。

圖民錄四卷　袁守定撰。

富教初桄錄二卷　宗源瀚撰。

宦海慈航一卷　周埴撰。

不著撰人　州縣提綱四卷　乾隆時敕輯。

以上職官類官箴之屬

政書類

大清會典二百五十卷　起崇德元年，迄康熙二十五年，聖祖敕撰。自康熙二十
六年，至雍正五年，世宗敕撰。雍正十年刊。

大清會典一百卷　會典則例一百八十卷　乾隆二十六年，禮親王允祹奉
敕撰。

大清會典八十卷　圖一百三十二卷　事例九百二十卷　嘉慶二十
三年敕撰。

大清會典一百卷　圖二百七十卷　事例一千二百二十卷　光緒
二十五年敕撰。

續通典一百四十四卷　乾隆三十二年敕撰。

續文獻通考二百五十二卷　乾隆十二年敕撰。

皇朝通典一百卷　乾隆三十二年敕撰。

皇朝通志二百卷　乾隆三十二年敕撰。

皇朝文獻通考二百六十六卷　乾隆十二年敕撰。

元朝典故編年考十卷　孫承澤撰。

明會要八十卷　龍文彬撰。[①]

宋李攸　宋朝事實二十卷　乾隆時敕輯。

以上政書類通制之屬

幸魯盛典四十卷　康熙二十三年，孔毓圻編。

萬壽盛典一百二十卷　康熙五十二年，王原祁等編。

南巡盛典一百二十卷　乾隆三十一年，高晉等編。

---

①　“龍”原作“紀”，據《清史稿藝文志及補編》改。

八旬萬壽盛典一百二十卷　乾隆五十四年，阿桂等編。

西巡盛典二十四卷　嘉慶十六年，董誥等編。

大清通典四十卷　乾隆元年敕撰。

皇朝禮器圖式二十八卷　乾隆二十四年敕撰。

滿洲祭神祭天典禮六卷　乾隆四十二年敕撰。

國朝宮史三十六卷　乾隆七年敕撰。

宮史續編一百卷　嘉慶六年敕撰。

大清通禮五十四卷　道光四年敕撰。

廟制圖考一卷　萬斯同撰。

壇廟祀典三卷　方觀承撰。

壇廟樂章一卷　張樂盛撰。

萬壽衢歌樂章六卷　彭元瑞撰。

北郊配位議一卷　辨定嘉靖大禮議二卷　毛奇齡撰。

北岳恒山歷祀上曲陽考一卷　劉師峻撰。

盛京典制備考八卷　崇善撰。

滿洲四禮考四卷　索甯安撰。

太常紀要十五卷　四譯館考十五卷　江蘩撰。

學典三十卷　孫承澤撰。

國學禮樂錄二十四卷　李周望、謝履忠同撰。

頖宮禮樂全書十六卷　張安茂撰。

聖門禮樂統二十四卷　張行言撰。

文廟祀典考五十卷　龐鍾璐撰。

直省釋奠禮樂記六卷　應寶時撰。

醴陵縣文廟丁祭譜四卷　藍錫瑞撰。

文廟從祀先賢先儒考一卷　郎廷極撰。

孔廟從祀末議一卷　閻若璩撰。

家塾祀典一卷　應撝謙撰。

大清通禮品官士庶儀纂六卷　劉師陸撰。

吾學錄初編二十四卷　吳榮光撰。

國朝諡法考一卷　王士禎撰。

皇朝大臣諡法錄四卷　邵晉涵撰。

皇朝諡法考五卷　鮑康撰。

漢衛宏　漢官舊儀一卷　補遺一卷

不著撰人　廟學典禮四卷　以上乾隆時敕輯。

　　以上政書類典禮之屬

學政全書八十卷　乾隆三十九年，素爾納等奉敕撰。

磨勘簡明條例二卷　續二卷　乾隆時奉敕撰。

科場條例六十卷　光緒十四年奉敕撰。

奏定學堂章程不分卷　光緒二十九年，管學大臣奉敕撰。

吏部銓選則例十七卷　嘉慶十年敕撰。

吏部處分則例五十二卷　驗封司則例六卷　稽勳司則例八卷

　　道光十年敕撰，光緒十三年重修。

歷代銓選志一卷　袁定遠撰。

銓政論略一卷　蔡方炳撰。

登科記考三十卷　徐松撰。

國朝貢舉年表三卷　陳國霖、顧錫中同撰。

國朝貢舉考略三卷　黃崇簡撰。

歷科典試題名錄一卷　考官試題錄四卷　黃崇簡、饒玉成同撰。

國朝鼎甲考一卷　狀元事考一卷　饒玉成撰。

制義科瑣記四卷　續記一卷　淡墨錄十六卷　李調元撰。

國朝右文掌錄一卷　宗源瀚撰。

制科雜錄一卷　毛奇齡撰。

彙征録一卷　　不著撰人氏名。

歷代武舉考一卷　　譚吉璁撰。

　　　以上政書類銓選科舉之屬

賦役全書一百卷　　順治間敕撰。

孚惠全書六十四卷　　乾隆六十年，彭元瑞奉敕撰。

辛酉工賑紀事三十八卷　　嘉慶六年敕撰。

户部漕運全書九十六卷　　光緒二年敕撰。

官田始末考一卷　　顧炎武撰。

蘇松歷代財賦考一卷　　不著撰人氏名。

杭州府賦役全書一卷　　不著撰人氏名。

浙江減賦全案十卷　　楊昌濬編。

大元海運記二卷　　胡敬撰。

明漕運志一卷　　曹溶撰。

丁漕指掌十卷　　王大經撰。

海運芻言一卷　　施彥士撰。

江蘇海運全案十二卷　　賀長齡撰。

浙江海運全案十卷　　黄宗漢編。

江北運程四十卷　　董恂編。

錢幣芻言一卷　　王鎏撰。

泉刀彙纂不分卷　　邱峻撰。

錢録十二卷　　張端本撰。

大錢圖録一卷　　鮑康撰。

長蘆鹽法志二十卷　附編十卷　　珠隆阿修。

河東鹽法志十卷　　石麟等修。

山東鹽法志二十四卷　附編十卷　　崇福等修。

山東鹽法續增備考六卷　　王定柱編。

兩淮鹽法志四十卷　吉慶修。

兩淮鹽法志五十六卷　佶山修。

兩淮鹽法志一百二十卷　劉坤一修。

淮南鹽法紀略十卷　龐際雲撰。

淮鹽備要十卷　李澄撰。

淮鹽問答一卷　周濟撰。

淮南調劑志略四卷　不著撰人氏名。

淮北票鹽續略十二卷　許寶書撰。

兩浙鹽法續纂備考十二卷　楊昌濬編。

兩廣鹽法志三十五卷　阮元等修。

粵鹽蠡測編一卷　陳銓撰。

鹽法議略一卷　王守基撰。

歷代征稅紀一卷　彭甯和撰。

續纂淮關統志十四卷　元成編。

北新關志十六卷　許夢閎撰。

粵海關志三十卷　豫堃編。

荒政叢書十卷 附錄二卷　俞森撰。

救荒備覽四卷　勞潼撰。

荒政輯要十卷　汪志伊撰。

康濟錄六卷　倪國璉撰。

籌濟編三十二卷　楊景仁撰。

捕蝗考一卷　陳芳生撰。

捕蝗彙編一卷　陳僅撰。

伐蛟說一卷　魏廷珍撰。

畿輔義倉圖六卷　方觀承撰。

左司筆記二十卷　吳璟撰。

己庚編六卷　祁韻士撰。

石渠餘紀六卷　王慶雲撰。

光緒會計録三卷　李希聖撰。

以上政書類邦計之屬

八旗通志初集二百五十卷　雍正五年，鄂爾泰奉敕撰。

八旗通志三百五十四卷　乾隆三十七年，福隆安等奉敕撰。

八旗則例十二卷　乾隆三十七年，福隆安等撰。

軍器則例二十四卷　嘉慶十九年敕撰。

緑營則例十六卷　官本。

中樞政考三十二卷　嘉慶二十年，明亮等奉敕撰。

中樞政考續纂七十二卷　道光九年，長齡等奉敕撰。

杭州駐防八旗志略二十五卷　張大昌撰。

荆州駐防八旗志十六卷　希元撰。

駐粤八旗志二十四卷　長善撰。

馬政志一卷　蔡方炳撰。

保甲書四卷　徐棟撰。

鄉守外編輯要十卷　許乃釗撰。

以上政書類軍政之屬

督捕則例二卷　乾隆二年，徐本等奉敕撰。

大清律例四十七卷　乾隆五年，三泰等奉敕撰。

大清律續纂條例總類二卷　乾隆二十五年敕撰。

五軍道里表四卷　乾隆四十四年，福隆安等奉敕撰。

三流道里表四卷　乾隆四十九年，阿桂等奉敕撰。

删除律例　附　商律不分卷　光緒三十一年，沈家本奉敕撰；《商律》，三十二年商部奉敕撰。

清現行刑律三十六卷　秋審條款一卷　光緒時，沈家本等奉敕撰。

禁煙條例一卷　_{光緒時，善耆等奉敕撰。}

蒙古律例十二卷　_{官本。}

刑部奏定新章四卷　_{官本。}

刑部比照加減成案三十二卷　_{許槤、熊義同撰。}

刑案匯覽六十卷　卷首一卷　卷末一卷　拾遺備考一卷　續
編十卷　_{祝慶祺撰。}

駁案新編三十九卷　_{全士潮等編。}

秋審比較彙案續編八卷　_{不著撰人氏名。}

清律例歌括一卷　_{不著撰人氏名，丁承禧注。}

重修名法指掌圖四卷　_{徐灝撰。}

法曹事宜四卷　_{不著撰人氏名。}

　　　以上政書類法令之屬

乘輿儀仗做法二卷　_{乾隆十三年奏刊。}

工程做法七十四卷　_{雍正十二年，果親允王允禮等撰。}

物料價值則例二百二十卷　_{乾隆三十三年，陳宏謀等奉敕撰。}

武英殿聚珍板程式一卷　_{乾隆三十八年，金簡等奉敕撰。}

內廷工程做法八卷　簡明做法無卷數　_{工部會同內務府撰。}

圓明園工部則例不分卷　_{不著撰人氏名。}

城垣做法册式一卷　_{官本。}

工部軍器則例六十卷　_{嘉慶十六年，劉權之等奉敕撰。}

戰船則例內河五十八卷　外海四十卷　_{官本。}

重訂鐵路簡明章程一卷　_{光緒二十九年，商部撰。}

河工器具圖式四卷　_{麟慶撰。}

浮梁陶政志一卷　_{吳允嘉撰。}

築圩圖式一卷　_{孫峻撰。}

　　　以上政書類考工之屬

目録類

天禄琳瑯書目十卷　乾隆四十年敕撰。

天禄琳瑯書目後編二十卷　嘉慶二年敕撰。

四庫全書總目提要二百卷　乾隆三十七年，紀昀等奉敕撰。

簡明目録二十卷　乾隆三十九年，紀昀等奉敕撰。

抽燬書目一卷　官本。

禁書目録一卷　官本。

違礙書目一卷　乾隆五十三年，官刻頒行。

四庫全書考證一百卷　王太岳、曹錫寶等撰。

四庫簡明目録標注二十卷　邵懿辰撰。

四庫全書提要纂稿一卷　邵晉涵撰。

四庫未收書目提要五卷　阮元撰。

四庫闕書目一卷　徐松撰。

國子監書目一卷　不著撰人氏名。

徵刻唐宋人秘本書目三卷　黃虞稷、周在浚同編。

傳是樓宋元板書目一卷　徐乾學藏。

静惕堂宋元人集書目一卷　曹溶藏。

汲古閣珍藏秘本書目一卷　毛扆編。

藝芸書舍宋元本書目一卷　汪士鐘藏。

古泉山館宋元板書序録一卷　瞿中溶撰。

滂喜齋宋元本書目一卷　潘祖蔭撰。

宋元舊本書經眼録三卷　附録一卷　莫友芝撰。

宋元本行格表二卷　江標撰。

崇文總目輯釋五卷　補佚一卷　錢東垣撰。

通志堂經解目録一卷　翁方綱撰。

全上古三代秦漢三國六朝文編目百三卷　嚴可均撰。

天一閣書目四卷　汪本撰。

天一閣見在書目六卷　薛福成撰。

絳雲樓書目一卷　錢謙益撰。

述古堂藏書目四卷　錢曾撰。

千頃堂書目三十二卷　黃虞稷撰。

傳是樓書目八卷　徐乾學撰。

培林堂書目二卷　徐秉義撰。

含經堂書目四卷　徐元文撰。

潛采堂書目四卷　曝書亭宋元人集目一卷　朱彝尊撰。

青綸館藏書目錄三卷　宋筠撰。

季滄葦藏書目一卷　季振宜撰。

楝亭書目三卷　曹寅撰。

孝慈堂書目不分卷　王聞遠撰。

佳趣堂書目二卷　陸漻撰。

百歲堂書目三卷　惠棟撰。

小山堂藏書目二卷　趙一清撰。

好古堂藏書目四卷　姚際恒撰。

文瑞樓書目十二卷　金檀撰。

塾南書庫目錄六卷　王昶撰。

稽瑞樓書目一卷　陳揆撰。

振綺堂書目六卷　汪誠撰。

抱經樓書目一卷　盧址撰。

清吟閣書目四卷　瞿世瑛撰。[1]

環碧山房書目一卷　汪輝祖撰。

---

① 　"世瑛"原作"瑛"，據《清史稿藝文志及補編》、《松鄰叢書》本書所題作者名改。

瞑琴山館藏書目四卷　范楷撰。

別下齋書目一卷　蔣光堉撰。

樂意軒書目四卷　吳成佐撰。

石研齋書四卷　秦恩復撰。

竹掩盦傳鈔書目一卷　趙魏撰。

孫氏祠堂書目内編四卷　外編三卷　孫星衍撰。

績溪金紫胡氏所箸書目二卷　胡培系撰。

鑑止水齋書目一卷　許宗彥撰。

津逮樓書目十八卷　甘福撰。

結一廬書目四卷　朱學勤撰。

帶經堂書目五卷　陳徵芝撰。

海源閣書目一卷　楊以增撰。

持静齋書目五卷　丁日昌撰。

邵亭知見傳本書目十六卷　莫友芝撰。

行素堂目睹書目十卷　朱記榮撰。

讀書敏求記四卷　錢曾撰。

熏習録二十卷　吳焯撰。

廉石居藏書記二卷　平津館鑒賞記三卷　補遺一卷　續編一卷　孫星衍撰。

士禮居藏書題跋記四卷　續録一卷　百宋一廛録一卷　黃丕烈撰。

拜經樓藏書題跋記六卷　吳壽暘撰。

愛日精廬藏書志三十六卷　張金吾撰。

鐵琴銅劍樓藏書目二十四卷　瞿鏞撰。

皕宋樓藏書志一百二十卷　續志四卷　陸心源撰。

滂喜齋藏書記三卷　潘祖蔭撰。

善本書室藏書志四十卷　附録一卷　丁丙撰。

楹書隅録五卷　續編四卷　楊紹和撰。

經義考三百卷　朱彝尊撰。

經義考補正十二卷　翁方綱撰。

古今偽書考一卷　姚際恒撰。

歷代載籍足徵録一卷　莊述祖撰。

知聖道齋讀書跋尾二卷　彭元瑞撰。

校訂存疑十七卷　朱文藻撰。

竹汀先生日記鈔三卷　何元錫編。

經籍跋文一卷　陳鱣撰。

經籍舉要一卷　龍翰臣撰。

曝書雜記三卷　可讀書齋校書譜一卷　錢泰吉撰。

羣書答問三卷　補遺一卷　凌曙撰。

書目答問七卷　張之洞撰。

羣書提要一卷　皇清經解提要一卷　皇清经解淵源録一卷　沈豫撰。

半氈齋題跋二卷　江藩撰。

東湖叢記六卷　蔣光煦撰。

開有益齋讀書志六卷　續一卷　朱緒曾撰。

木居士書跋二卷　瞿中溶撰。

鄭堂讀書日記不分卷　周中孚撰。

儀顧堂題跋十六卷　續跋十六卷　陸心源撰。

浙江采輯遺書總録十一卷　三寶等撰。[①]

關右經籍考十一卷　邢澍撰。

長河經籍考十卷　田雯撰。

昆陵經籍志四卷　盧文弨撰。

武林藏書録三卷　丁申撰。

日本訪書志十七卷　楊守敬撰。

---

① “三寶”，《清史稿艺文志及補編》、《四库全書提要稿輯存》作“沈初”。

汲古閣題跋初集二卷　續一卷　毛鳳苞編。

汲古閣校刻書目一卷　補遺一卷　刻板存亡考一卷　鄭德懋編。

金山錢氏家刻書目十卷　錢培蓀編。

勿菴歷算書目一卷　梅文鼎撰。

嘉定錢氏藝文略三卷　錢師璟撰。

廬江錢氏藝文略一卷　錢儀吉撰。

流通古書約一卷　曹溶撰。

藏書紀要一卷　孫慶增撰

百宋一廛賦一卷　顧廣圻撰。

藏書紀事詩六卷　葉昌熾撰。

靈隱書藏紀事一卷　潘衍桐撰。

焦山藏書約一卷　書目一卷　續一卷　梁鼎芬撰。

藝文待訪録一卷　羅以智撰。

國朝箸述未刊書目一卷　鄭文焯撰。

國朝未刻遺書志略一卷　朱記榮編。

漢劉向　七略別録一卷　馬國翰輯。

金石類

西清古鑑四十卷　乾隆十四年，梁詩正等奉敕編。

西清續鑑甲編二十卷　附録一卷　乾隆五十八年敕編。

校正淳化閣帖釋文十卷　乾隆三十四年，金簡奉敕編。

積古齋藏器目一卷　阮元藏。

清儀閣藏器目一卷　張廷濟藏。

竹崦盦藏器目一卷　趙魏藏。

嘉蔭簃藏器目一卷　劉喜海藏。

平安館藏器目一卷　葉志詵藏。

雙虞壺館藏器目一卷　吳式芬藏。

懷米山房藏器目一卷　曹載奎藏。

簠齋藏器目一卷　陳介祺藏。

木庵藏器目一卷　程振甲藏。

梅花草盦藏器目一卷　丁彥忠藏。

選青閣藏器目一卷　王錫棨藏。

愛吾鼎齋藏器目一卷　李璋煜藏。

石泉書屋藏器目一卷　李佐賢藏。

兩罍軒藏器目一卷　吳雲藏。

愙齋藏器目一卷　吳大澂藏。①

天壤閣藏器目一卷　王懿榮藏。

愙齋集古錄二十六卷　恒軒吉金錄不分卷　度量權衡實驗説不分卷　吳大澂撰。

匋齋吉金錄八卷　續二卷　端方撰。

焦山鼎銘考一卷　翁方綱撰。

周無專鼎銘考一卷　羅士琳撰。

齊侯罍銘通釋二卷　陳慶鏞撰。

盤亭小錄一卷　劉銘傳撰。

京畿金石考二卷　孫星衍撰。

畿輔金石記殘稿不分卷　沈濤撰。

畿輔碑目二卷　樊彬撰。

常山貞石志二十四卷　沈濤撰。

趙州石刻錄一卷　陳鍾祥撰。

江甯金石記八卷　待訪錄二卷　嚴觀撰。

---

①　"澂"原作"沅"，據《清史稿藝文志及補編》、中華本改。

江左石刻文編四卷 韓崇撰。
江甯金石待訪録四卷 孫彤撰。
吴郡金石目一卷 程祖慶撰。
吴中金石記一卷 顧沅撰。
徐州金石記一卷 方駿謨撰。
崇川金石志一卷 馮雲鵬撰。
安徽金石略十卷 涇川金石記一卷 趙紹祖撰。
山左金石志二十四卷 畢沅、阮元同撰。
山左訪碑録十三卷 法偉堂撰。
山左碑目四卷 段赤苓撰。
山左南北朝石刻存目一卷 尹彭壽撰。
至聖林廟碑目六卷 孔昭薰撰。
孔林漢碑考一卷 顧仲清撰。
濟州金石志八卷 徐宗幹撰。
濟州學碑釋文一卷 張弨撰。
濟南金石記四卷 馮雲鵷撰。
歷城金石考二卷 周永年撰。
諸城金石略二卷 李文藻撰。
益都金石記四卷 段赤苓撰。
山右金石志一卷 夏寶晋撰。
山右金石記八卷 楊篤撰。
山右石刻叢編四十卷 胡聘之撰。
中州金石記五卷 畢沅撰。
中州金石考八卷 黄叔璥撰。
中州金石目四卷 補遺一卷 姚晏撰。
中州金石目録八卷 楊鐸撰。
安陽金石録十三卷 武億、趙希璜同撰。

河陽金石記三卷　馮敏昌撰。

河内金石記二卷　補遺一卷　方履籛撰。

嵩洛訪碑日記一卷　黃易撰。

嵩陽石刻集記二卷　葉封撰。

登封縣金石志一卷　洪亮吉撰。

偃師金石記四卷　偃師金石遺文補録二卷　郟縣金石志一卷　寶豐金石志五卷　魯山金石志三卷　武億撰。

孟縣金石志三卷　馮敏昌撰。

濬縣金石録二卷　熊象階撰。

關中金石記八卷　畢沅撰。

雍州金石記十卷　朱楓撰。

關中金石附記一卷　蔡汝霖撰。

陝西得碑目二卷　長安獲古編二卷　補遺一卷　劉喜海撰。

關中金石文字存佚考十二卷　毛鳳枝撰。

唐昭陵石蹟考五卷　林侗撰。

昭陵六駿贊辨一卷　張弨撰。

昭陵碑考十三卷　孫三錫撰。

扶風金石録二卷　郿縣金石遺文録二卷　興平金石志一卷　張塤撰。

寶雞縣金石志一卷　鄧夢琴撰。

武林金石刻記十卷　倪濤撰。

武林金石記殘稿不分卷　丁敬身撰。

兩浙金石志十八卷　補遺一卷　阮元撰。

吳興金石志十六卷　陸心源撰。

墨妙亭碑目考二卷　張鑑撰。

越中金石記十二卷　杜春生撰。

東甌金石録十二卷　戴咸弼撰。

台州金石録十三卷　闕訪二卷　黃瑞撰。

括蒼金石志十二卷　續四卷　李遇孫撰。

括蒼金石志補遺四卷　鄒柏森撰。

湖北金石存佚考二十二卷　陳詩撰。

湖北金石詩二卷　嚴觀撰。

永州金石略一卷　宗稷辰撰。

三巴䣛古志不分卷　劉喜海撰。

蜀碑補記十卷　李調元撰。

粵東金石略十八卷　阮元撰。

高要金石略四卷　彭泰來撰。

粵西金石略十五卷　謝啟昆撰。

粵西得碑記一卷　楊翰撰。

滇南古金石錄一卷　阮福撰。

和林金石錄一卷　李文田撰。

高麗碑全文八卷　葉志詵撰。

海東金石苑四卷　海東金石考存一卷　劉喜海撰。

日本金石志二卷　傅雲龍撰。

兩漢金石記二十二卷　翁方綱撰。

隋唐石刻拾遺二卷　黃本驥撰。

南漢金石志二卷　吳蘭修撰。

元刻偶存一卷　陸增祥撰。

元碑存目一卷　黃本驥撰。

寰宇訪碑錄十二卷　孫星衍、邢澍同撰。

訪碑續錄一卷　嚴可均撰。

訪碑後錄三卷　黃本驥撰。

補寰宇訪碑錄五卷　趙之謙撰。

攈古錄二十卷　吳式芬撰。

天一閣碑目一卷　潛擘堂金石文字目録八卷　錢大昕撰。

小蓬萊閣金石目一卷　黄易撰。

平安館碑目八卷　葉志詵撰。

玉雨堂碑目四册　韓泰華撰。

式訓堂碑目三卷　章壽康撰。

求古録一卷　金石文字記六卷　顧炎武撰。

來齋金石考三卷　林侗撰。

觀妙齋金石文考略十六卷　李光暎撰。

金石續録四卷　劉青藜撰。

金石經眼録一卷　褚峻摹圖、牛運震補説。

金石録補二十七卷　續七卷　金石小箋一卷　葉奕苞撰。

金薤琳琅補遺一卷　宋振譽撰。

平津館讀碑記八卷　續記一卷　再續一卷　三續二卷　洪頤
　　煊撰。

潛研堂金石文字跋尾二十五卷　錢大昕撰。

金石三跋十卷　金石文字續跋十四卷　武億撰。

古泉山館金石文跋不分卷　瞿中溶撰。

鐵橋金石跋四卷　嚴可均撰。

古墨齋金石文跋六卷　趙紹祖撰。

寶鐵齋金石跋尾三卷　韓崇撰。

石經閣金石跋文一卷　馮登府撰。

攀古小廬古器物銘釋文不分卷　碑跋不分卷　許瀚撰。

清儀閣題跋一卷　張廷濟撰。

枕經堂金石題跋三卷　方朔撰。

求是齋金石跋尾四卷　丁紹基撰。

宜禄堂金石記六卷　朱士端撰。

簠齋金石文字考釋一卷　筆記一卷　陳介祺撰。

開有益齋金石文字記一卷　朱緒曾撰。

十二硯齋金石過眼録十八卷　汪鋆撰。

金石萃編一百六十卷　王昶撰。

金石萃編補目三卷　黃本驥撰。

金石續編二十一卷　目一卷　陸耀遹撰。

金石萃編補略二卷　王言撰。

金石萃編補正四卷　方履籛撰。

八瓊室金石補正一百三十卷　陸增祥撰。

匋齋藏石記四十四卷　端方撰。

金石表一卷　曹溶撰。

金石存十六卷　吳玉搢撰。

金石索十二卷　馮雲鵬、馮雲鵷撰。

金石品二卷　金石存十五卷　李調元撰。

金石契四卷　張燕昌撰。

金石屑四卷　鮑昌熙撰。

金石摘十卷　陳善墀撰。

香南精舍金石契二卷　覺羅崇恩撰。

金石遺文録十卷　陳奕禧撰。

金石文釋六卷　吳穎芳撰。

古誌石華三十卷　黃本驥撰。

金石文鈔八卷　趙紹祖撰。

碑録二卷　朱文藻撰。

續語堂碑録不分卷　魏錫曾撰。

金石圖二卷　褚峻摹圖，牛運震補説。

求古精舍金石圖四卷　陳經撰。

小蓬萊閣金石文字不分卷　黃易撰。

古均閣寶刻録一卷　許槤撰。

平安館金石文字不分卷　葉名澧撰。

隨軒金石文字八種無卷數　徐渭仁撰。

二銘草堂金石聚十六卷　張得容撰。

淇泉摹古錄一卷　趙希璜撰。

漢碑篆額不分卷　何澂撰。

紅崖碑釋文一卷　鄒漢勛撰。

漢武梁祠畫象考證二卷　沈梧撰。

漢射陽石門畫象彙考一卷　張寶德撰。

華山碑考四卷　阮元撰。

石門碑醳一卷　郙閣銘考一卷　王森文撰。

天發神讖碑釋文一卷　周在浚撰。

國山碑考一卷　吳騫撰。

漢魏碑刻記存一卷　謝道承撰。

北魏鄭文公碑考一卷　諸可寶撰。

龍門造象釋文一卷　陸繼煇撰。

瘞鶴銘辨一卷　張紹撰。

瘞鶴銘考一卷　汪士鋐撰。

瘞鶴銘考一卷　吳東發撰。

瘞鶴銘考補一卷　翁方綱撰。

山樵書外紀一卷　張開福撰。

唐尚書省郎官石柱題名考二十六卷　唐御史臺精舍題名考三
　卷　附錄一卷　趙鉞、勞格同撰。

楚州石柱考一卷　范以煦撰。

邠州石室錄三卷　葉昌熾撰。

石魚文字所見錄一卷　姚覲元撰[①]

---

①　"覲"，原作"覯"，據《清史稿藝文志及補編》、《石刻史料新編》改。

九曜石刻録一卷 周中孚撰。

蒼玉洞題名石刻一卷 劉喜海撰。

翠微亭題名考一卷 釋達受撰。

龍興寺經幢題跋一卷 羅榘撰。

金天德鐘欵識一卷 丁晏撰。

鐵券銅塔考三卷 錢泳撰。

岳廟彝器銘一卷 不著撰人氏名。

分隸偶存二卷 萬經撰。

碑文摘奇一卷 梁廷枏撰。

碑別字五卷 羅振鋆撰。

金石要例 一卷 黃宗羲撰。

碑版廣例 十卷 王芑孫撰。

誌銘廣例二卷 梁玉繩撰。

金石例補二卷 郭麐撰。

金石綜例四卷 馮登府撰。

金石訂例四卷 鮑振方撰。

金石稱例五卷 續一卷 梁廷枏撰。

漢石例六卷 劉寶楠撰。

漢魏六朝墓銘纂例四卷 吳灝撰。

唐人志墓例一卷 徐朝弼撰。

金石學録四卷 李富孫撰。

金石學録補四卷 陸心源撰。

金石札記四卷 袪偽一卷 陸增祥撰。

語石六卷 葉昌熾撰。

閒者軒帖考一卷 孫承澤撰。

淳化秘閣法帖考正十二卷 王澍撰。

淳化閣帖考證十卷 吳有蘭撰。

淳化閣跋一卷　沈蘭先撰。

淳化閣帖源流考一卷　周行仁撰。

法帖釋文十卷　徐朝弼撰。

南村帖考四卷　程文榮撰。

鳴野山房帖目四卷　沈復粲撰。

禊帖綜聞一卷　胡世安撰。

蘇米齋蘭亭考八卷　翁方綱撰。

定武蘭亭考一卷　王灝撰。

鳳墅殘帖釋文二卷　錢大昕撰。

惜抱軒法帖題跋三卷　姚鼐撰。

蘇米齋題跋二卷　翁方綱撰。

竹雲題跋四卷　王澍撰。

鐵函齋書跋六卷　楊賓撰。

芳堅館題跋四卷　郭尚先撰。

錢錄十六卷　乾隆十六年敕撰。

泉神志七卷　李世熊撰。

泉志校誤四卷　金嘉采撰。

錢志新編二十卷　張崇懿撰。

琴趣軒泉譜一卷　黃灼撰。

廣錢譜一卷　張延世撰。

歷代古錢目一卷　朱煒撰。

泉布統志九卷　孟麟撰。

選青小牋十卷　許原愷撰。

虞夏贖金釋文一卷　劉師陸撰。

古今待問錄六卷　朱楓撰。

吉金所見錄十六卷　祁尚齡撰。

古今錢略三十四卷　倪模撰。

貨布文字考四卷 馬昂撰。

泉寶所見録十六卷 沈巍皆撰。

歷代鍾官圖經八卷 陳萊孝撰。

吉金志存四卷 李光廷撰。

癖談六卷　附録四卷 蔡雲撰。

運甓軒錢譜四十卷 呂佺孫撰。

癖泉臆説六卷 高焕撰。

古泉叢話三卷　藏泉記一卷 戴熙撰。

觀古閣泉説一卷　叢稿二卷　續稿一卷　三編二卷 鮑康撰。

論泉絶句二卷 劉喜海撰。

古泉滙六十卷　續十四卷　補遺二卷 李佐賢撰。

齊魯古印攈四卷　續一卷 高慶齡撰。

集古官印考證二卷 瞿中溶撰。

兩罍軒印考漫存九卷 吳雲撰。

秦漢瓦當文字二卷　續一卷 程敦撰。

浙江磚録不分卷 馮登府撰。

百磚考一卷 呂佺孫撰。

千甓亭磚録六卷　續四卷　古塼圖釋二十卷 陸心源撰。

匋齋藏塼記二卷 端方撰。

秋景庵主印譜四卷 黃易撰。

龍泓山人印譜八卷 丁敬撰。

訒葊集古印存三十二卷 汪其淑撰。

求是齋印譜四卷 陳豫鐘撰。

吳讓之印存二卷 吳廷颺撰。

楊聾石印存二卷 楊澥撰。

選集漢印分韻二卷　續二卷 袁日省撰。

楊嘯邨印集二卷 楊大受撰。

胡鼻山人印集二卷　胡震撰。

觀自得齋印集十六卷　徐子静撰。

秦漢印選六卷　石潛撰。

二金蜨堂印譜四卷　趙之謙撰。

封泥考略十卷　吳式芬、陳介祺同撰。

宋不著撰人　寶刻類編八卷　乾隆时敕輯。

宋歐陽裴　集古録目五卷　黃本驥輯。

史評類

御批通鑑綱目五十九卷　通鑑綱目前編一卷　外紀一卷　舉
要三卷　通鑑綱目續編二十七卷　康熙四十六年御撰。

評鑑闡要十二卷　乾隆三十六年、劉統勳等奉敕編。

古今儲貳金鑑六卷　乾隆四十六年敕撰。

承華事略補圖六卷　元王惲撰，光緒時徐郙等奉敕補圖。

史記評注十二卷　牛運震撰。

史漢發明五卷　傅澤鴻撰。

宋論十五卷　王夫之撰。

史論五答一卷　施國祁撰。

明史評二卷　納蘭常安撰。

明印十二論一卷　段玉裁撰。

讀通鑑論三十卷　王夫之撰。

讀通鑑札記二十卷　章邦元撰。

通鑑評語五卷　申涵煜撰。

看鑑偶評四卷　尤侗撰。

鑑語經世編二十七卷　魏裔介撰。

唐鑑偶評四卷　周池撰。

綱目通論一卷　歷代通論一卷　任兆麟撰。

讀史雜記一卷　讀宋鑑論三卷　方宗誠撰。

鑑評別錄六十卷　黃恩彤撰。

閱史郄視四卷　續一卷　李琭撰。

讀史管見一卷　湯斌撰。

午亭史評二卷　陳廷敬撰。

茗香堂史論四卷　彭孫貽撰。

史見二卷　陳遇夫撰。

史評一卷　謝濟世撰。

四鑑十六卷　尹會一撰。

中山史論二卷　郝浴撰。

十七朝史論一得一卷　郭倫撰。

石溪史話八卷　劉鳳起撰。

史學提要箋釋五卷　楊錫祐撰。

讀書任子自鏡錄二十二卷　胡季堂撰。

史林測義三十八卷　計大受撰。

讀史大略六十卷　附錄一卷　沙張白撰。

味儁齋史義二卷　周濟撰。

讀史筆記十二卷　吳烜撰。

讀史提要錄十二卷　夏之蓉撰。

史論五種十一卷　李祖陶撰。

史說一卷　黃式三撰。

史說略四卷　黃以周撰。

讀史臆說五卷　楊琪光撰。

史通二十卷　周悅讓撰。

救文格論一卷　顧炎武撰。

炳燭偶鈔一卷　<small>陸錫熊撰。</small>

南江書録一卷　<small>邵晋涵撰。</small>

讀史劄記一卷　<small>盧文弨撰。</small>

文史通義八卷　校讐通義三卷　文史通義補編一卷　<small>章學誠撰。</small>

史通通釋二十卷　<small>浦起龍撰。</small>

史通訓故補二十卷　<small>黃叔琳撰。</small>

史通校正一卷　<small>盧文弨撰。</small>

史通削繁四卷　<small>紀昀撰。</small>

宋曹彥約經幄管見四卷

李心傳舊聞證誤四卷　<small>以上乾隆时奉敕輯。</small>

子部

　　子部十四類：一曰儒家，二曰兵家，三曰法家，四曰農家，五曰醫家，六曰天文算法，七曰術數，八曰藝術，九曰譜錄，十曰雜家，十一曰類書，十二曰小說，十三曰釋家，十四曰道家。

儒家類

勸善要言一卷　世祖御撰。

資政要覽三卷　後序一卷　順治十二年，世祖御撰。

內則衍義十六卷　順治十三年，世祖御定。

聖諭廣訓一卷　聖諭，聖祖御撰；廣訓，世宗推繹。

庭訓格言一卷　雍正八年，世宗御纂。

日知薈說四卷　乾隆元年，高宗御撰。

孝經衍義一百卷　順治十三年奉敕撰，康熙二十一年告成。

朱子全書六十六卷　康熙五十二年，李光地等奉敕撰。

性理精義十二卷　康熙五十六年，李光地等奉敕撰。

執中成憲八卷　雍正六年敕撰。

御覽經史講義三十一卷　乾隆十四年，蔣溥等奉敕撰。

孔子家語疏證十卷　陳士珂撰。

孔子家語疏證六卷　孫志祖撰。

孔子家語證譌十一卷　范家相撰。

孔子集語十七卷　孫星衍撰。

孔叢子正義五卷　姜兆錫撰。

曾子注釋四卷　阮福撰。

子思內篇五卷　外篇二卷　黃以周撰。

刪定荀子一卷　方苞撰。

荀子楊倞注校二十卷　附　校勘補遺一卷　謝墉撰。

荀子補注一卷　劉台拱撰。

荀子補注二卷　郝懿行撰。

荀子集解二十卷　王先謙撰。

賈子次詁十六卷　王耕心撰。

鹽鐵論考證三卷　張敦仁撰。

新序校補一卷　說苑校補一卷　盧文弨撰。

讀說苑一卷　俞樾撰。

潛夫論箋十卷　汪繼培撰。

周子疏解四卷　王明弼撰。

讀周子札記不分卷　崔紀撰。

通書注一卷　李先地撰。

通書集解二卷　王植撰。

通書解拾遺一卷　後錄一卷　李文炤撰。

太極圖說論十四卷　王嗣槐撰。

太極圖說集一卷　孫子昶撰。

太極圖說集釋一卷　王植撰。

太極圖說注解不分卷　陳兆咸撰。

太極圖解拾遺一卷　李文炤撰。

太極圖遺議一卷　毛奇齡撰。

張子淵源錄十卷　張鏐撰。

張子正蒙注九卷　王夫之撰。

注解正蒙二卷　李光地撰。

正蒙初義十七卷　王植撰。

正蒙集解九卷　李文炤撰。

西銘集釋一卷　王植撰。

西銘解拾遺一卷　後録一卷　李文炤撰。

西銘講義一卷　羅澤南撰。

二程學案二卷　黃宗羲撰。

二程子遺書纂二卷　李光地撰。

二程語録十八卷　张伯行撰。

程門主敬録一卷　謝文洊撰。

集程朱格物法一卷　王澍撰。

邵子觀物篇注二卷　李光地撰。

皇極經世考三卷　徐文靖撰。

尊朱要旨一卷　李光地撰。

讀朱隨筆四卷　陸隴其撰。

朱子語類輯略八卷　張伯行撰。

朱子聖學考略十卷　朱澤澐撰。

紫陽大旨八卷　秦雲爽撰。

朱子學歸二十三卷　鄭端撰。

朱子爲學考三卷　童能靈撰。

朱子語類纂十三卷　王鉞撰。

集朱子讀書法一卷　王澍撰。

朱子講習輯要編十卷　龍啟垣撰。

朱子言行録八卷　舒敬亭撰。

朱子語類日鈔五卷　陳澧撰。

考正朱子晚年定論二卷　孫承澤撰。

朱子晚年全論八卷　李紱撰。

朱子論定文鈔二十卷　吳震方撰。

述朱質疑十六卷　夏炘撰。

近思録集注十四卷　茅星來撰。

近思録集解十四卷　江永撰。

近思録集解九卷　李文炤撰。

近思録集解十四卷　續近思録十四卷　廣近思録十四卷　張伯行撰。

近思續録四卷　劉源渌撰。

讀近思録一卷　汪紱撰。

續近思録二十八卷　鄭光羲撰。

小學集解六卷　小學衍義八十六卷　張伯行撰。

小學集解六卷　黃澄撰。

小學集解六卷　蔣承修撰。

小學纂注六卷　高愈撰。

小學纂注二卷　彭定求撰。

小學淺説一卷　郭長清撰。

小學分節二卷　高熊徵撰。

小學句讀記六卷　王建常撰。

小學大全解名六卷　陸有容、謝庭芝、沈眉同撰。

續小學六卷　葉鈴撰。

朱子白鹿洞規條目二十卷　王澍撰。

讀白鹿洞規大義五卷　任德成撰。

陸子學譜二十卷　李紱撰。

大學衍義輯要六卷　補輯要十二卷　陳宏謀撰。

大學衍義續七十卷　強汝詢撰。

薛子條貫篇十三卷　續篇十三卷　戴楫撰。

薛文清讀書録八卷　張伯行節録。

薛文清讀書録鈔四卷　陸緯撰。

讀書録鈔二卷　紀大奎撰。

讀讀書録一卷　汪紱撰。

薛氏粹語四卷　劉世碻撰。

王陽明遺書疏證四卷　胡泉撰。

王學質疑五卷　附録一卷　張烈撰。

姚江學辨二卷　羅澤南撰。

呂子節録四卷　補遺一卷　陳宏謀撰。

呂語解釋四卷　尹會一撰。

新吾粹語四卷　汪霦原撰。

呻吟語資疑一卷　陸隴其撰。

周程張朱正脈不分卷　魏裔介撰。

濂洛關閩書十九卷　張伯行撰。

三子定論五卷　五復禮撰。

王劉異同五卷　黃百家撰。

下學指南一卷　當務書一卷　顧炎武撰。

思問録內外篇二卷　語録二卷　王夫之撰。

理學心傳纂要八卷　歲寒居答問二卷　附録一卷　語録二卷
　孫奇逢撰。

觀感録一卷　悔過自新録一卷　李顒撰。

二曲粹言四卷　吳鳳藻撰。

二曲集録要四卷　倪元坦撰。

毋欺録一卷　朱用純撰。

洙泗問津一卷　巢鳴盛撰。

匏瓜録六卷　芮長恤撰。

潛室劄二卷　刁包撰。

思辨録輯要三十五卷　論學酬答四卷　陸世儀撰,張伯行删削。

思辨録疑義一卷　劉蓉撰。

聖學入門書一卷　淮雲問答一卷　陳瑚撰。

言行見聞録四卷 備忘録四卷　近古録四卷　初學備忘録三卷

經正録一卷　願記一卷　答問一卷　張履祥撰。

事心録一卷　萬斯大撰。

正學隅見述一卷　王弘撰撰。

存學編四卷　存性編二卷　存治編一卷　存人編四卷　顏元撰。

顏習齋言行録二卷　鍾錂撰。

顏氏學記十卷　戴望撰。

顏學辨八卷　程朝儀撰。

大學辨業四卷　聖經學規纂二卷　論學二卷　小學稽業五卷　瘳忘篇二卷　平書訂十四卷　李塨撰。

籐陰剳記不分卷　明辨録二卷　孫承澤撰。

學言三卷　白允謙撰。

紫陽通志録四卷　高世泰撰。

此菴語録十卷　胡統虞撰。

張界軒集八卷　張時爲撰。

性圖一卷　黃采撰。

學案一卷　王甡撰。

致知格物解二卷　論性書二卷　約言録二卷　希賢録十卷　魏裔介撰。

知言録一卷　儒宗録一卷　庸言一卷　魏象樞撰。

郝雪海筆記三卷　郝浴撰。

讀書質疑二卷　欲從録十卷　王鋑撰。

臆言四卷　朱顯祖撰。

儒宗理要二十九卷　張能鱗撰。

理學辨一卷　王庭撰。

常語筆存一卷　湯斌撰。

理學要旨不分卷　耿介撰。

雙橋隨筆十二卷　周召撰。

閑道録三卷　下學劄記三卷　熊賜履撰。

榕村語録三十卷　榕村講授三卷　經書筆記　讀書筆録共一卷　道南講授三卷　觀瀾録一卷　初夏録一卷　李光地撰。

三魚堂賸言十二卷　松陽鈔存二卷　學術辨一卷　問學録四卷　日記十卷　陸隴其撰。

性理譜五卷　蕭企昭撰。

困學録集粹八卷　性理正宗四十卷　張伯行撰。

儒門法語一卷　彭定求撰。

讀書偶記三卷　勵志雜録一卷　雷鋐撰。

理學逢源十二卷　讀困知記一卷　讀問學録一卷　汪紱撰。

儒林譜一卷　焦袁熹撰。

大儒粹語二十八卷　顧棟高撰。

憤助編四卷　蔡方炳撰。

溯流史學鈔二十卷　張沐撰。

程功録五卷　楊名時撰。

切近編一卷　桑調元、沈廷芳編。

沈端愨遺書四卷　沈近思撰。

健餘劄記四卷　讀書筆記四卷　尹會一撰。

聖賢儒史一卷　王復禮撰。

理學正宗十五卷　事親庸言二十卷　竇克勤撰。

性理纂要八卷　天理主敬圖一卷　冉覲祖撰。

嵩陽學凡六卷　景日昣撰。

會語支言四卷　陸鳴鼇撰。

性理大中二十八卷　應撝謙撰。

體獨私鈔四卷　黃百家撰。

信陽子卓録八卷　張鵬翮撰。

正修録三卷　于準撰。

心印正説三十四卷　吳台碩撰。

尊道集四卷　朱搴撰。

儒門語要六卷　儒學入門一卷　慎獨圖説一卷　倪元坦撰。

讀書日記六卷　劉源渌撰。

性理辨義二十卷　王建衡撰。

原善三卷　戴震撰。

静用堂偶編十卷　涂天相撰。

廣字義三卷　黃叔璥撰。

虛谷遺書三卷　何國材撰。

慎思録二卷　李南暉撰。

載道集六十卷　許焞撰。

耻亭遺書十卷　周宗濂撰。

棉陽學準五卷　藍鼎元撰。

絅齋隨筆一卷　孔毓焞撰。

躬行實踐録十五卷　桑調元撰。

理學疑問四卷　童能靈撰。

性理淺説一卷　郭長清撰。

淑艾録十四卷　下學編十四卷　祝洤撰。

逸語十卷　曹廷棟撰。

困勉齋私記四卷　閻循觀撰。

明儒講學攷一卷　程嗣章撰。

讀書小記三十一卷　范爾梅撰。

東莞學案不分卷　吳鼎撰。

坊表録六卷　蘇宗經撰。

宗輝録六卷　陸元綸撰。

省身録一卷　王灝撰。

省身録十卷　蘇源生撰。

懺摩録一卷 彭兆蓀撰。

省疚録一卷 孔廣牧撰。

非石子二卷 鈕樹玉撰。

養一齋劄記九卷 潘德輿撰。

焚香録一卷 求復録一卷 晚聞録一卷 孟超然撰。

倭文端遺書十四 倭仁撰。

忱行録二卷 邵懿辰撰。

梅窗碎録六卷 陳會芳撰。

弟子箴言十四卷 胡達源撰。

畜德録二十卷 席啓圖撰。

大意尊聞三卷 進修録一卷 未能録二卷 志學録八卷 俟命録十卷 方宗誠撰。

來復堂學内篇四卷 學外篇六卷 講義四卷 丁大椿撰。

生齋讀易日識六卷 自知録三卷 自識一卷 自識續一卷 方坰撰。

經説拾餘一卷 經説弟子記一卷 胡泉撰。

敦艮齋遺書十七卷 徐潤第撰。

辨心性二卷 心述三卷 性述三卷 方潛撰。

持志塾言二卷 劉熙載撰。

理學辨似一卷 潘欲仁撰。

孝友堂家規一卷 家訓一卷 孫奇逢撰。

奉常家訓一卷 王時敏撰。

喪祭雜記一卷 訓子語一卷 張履祥撰。

養正類編十三卷 張伯行撰。

蔣氏家訓一卷 蔣伊撰。

家規一卷 竇克勤撰。

家規三卷 倪元坦撰。

範身集略四卷　秦坊撰。

里堂家訓一卷　焦循撰。

雙節堂庸訓六卷　汪輝祖撰。

敬義堂家訓一卷　紀大奎撰。

喪禮輯略二卷　家誡錄一卷　孟超然撰。

養蒙大訓一卷　熊大年撰。

養正篇一卷　初學先言一卷　謝文洊撰。

閑家編八卷　王士俊撰。

先正遺規四卷　汪正撰。

人範六卷　蔣元撰。

身範十三卷　孫希朱撰。

五種遺規十五卷　陳弘謀撰。

學究類編二十七卷　張伯行撰。

學規一卷　訓門人語一卷　張履祥撰。

學約續編十四卷　孫承澤撰。

教習堂條約一卷　徐乾學撰。

鼇峯學約一卷　蔡世遠撰。

泌陽學規一卷　尋樂堂學規一卷　竇克勤撰。

志學會規一卷　倪元坦撰。

國朝先正學規彙鈔一卷　黃舒昺撰。

箴友言一卷　趙青藜撰。

士林彝訓八卷　關槐撰。

古格言十二卷　梁章鉅撰。

箴銘錄要一卷　倪元坦撰。

座右銘類鈔一卷　續鈔一卷　汪汲、顧景濂同編。

子史粹言十二卷　丁晏撰。

小學韻語一卷　羅澤南撰。

女教經傳通纂二卷　任啓運撰。

女學六卷　藍鼎元撰。

秦氏閨訓新編十二卷　秦雲爽撰。

婦學一卷　章學誠撰。

經世篇十二卷　顧炎武撰。

明夷待訪録二卷　黃宗羲撰。

教民恆言一卷　魏裔介撰。

繹志十九卷　胡承諾撰。

擬太平策六卷　李塨撰。

潛書四卷　唐甄撰。

居濟一得八卷　張伯行撰。

法書十卷　檀萃撰。

治嘉格言一卷　蒞政摘要二卷　陸隴其撰。

齊治録三卷①　于準編。

萬世玉衡録四卷　蔣伊撰。

強學録四卷　夏錫疇撰。

仕學備餘二卷　紀大奎撰。

樞言一卷　續樞言一卷　經論疏一卷　王柏心撰。

校邠盧抗議二卷　馮桂芬撰。

唐太宗　帝範四卷

宋袁采　袁氏世範三卷

宋劉清之　戒子通録八卷

宋胡宏　知言六卷　附録一卷

---

①　“治”原作“沿”，據中華本、《四庫全書》本書所題書名改。

宋劉荀①　明本釋三卷

宋呂祖謙　少儀外傳二卷

宋項安世　項氏家說十卷　附録二卷

宋張洪　齊熙　朱子讀書法四卷

舊題朱子撰　家山圖書一卷　_{以上乾隆時敕輯。}

周管夷吾　内業一卷

周漆雕子一卷

周宓不齊　宓子一卷

周景子一卷

周世碩　世子一卷

周魏斯　魏文侯書一卷

周李克書一卷

周公孫尼子一卷

周孔穿　讕言一卷

周甯越　甯子一卷

周王孫子一卷

周李氏春秋一卷

周董無心　董子一卷

周徐子一卷

周魯仲連　魯連子一卷

周虞卿　虞氏春秋一卷

漢朱建　平原君書一卷

漢劉敬書一卷

漢賈山　至言一卷

漢劉德　河間獻王書一卷

---

①　“荀”原作“萌”，據《清史稿藝文志及補編》、《四庫全書》本書所題作者名改。

漢兒寬書一卷

漢公孫弘書一卷

漢終軍書一卷

漢吾邱壽王書一卷

漢王逸　正部一卷

漢仲長子　昌言一卷

漢魏朗　魏子一卷

魏周生烈　要論一卷

魏王肅　正論一卷

魏杜恕　體論一卷

魏王基　新書一卷

吳周昭　周子一卷

吳顧譚　新言一卷

吳陸景　典語一卷

晉袁宏　去伐論一卷

晉殷基　通語一卷

晉譙周　法訓一卷

晉袁準　正論二卷　正書一卷

晉孫毓　孫氏成敗志一卷

晉王嬰　古今通論一卷

晉蔡洪　化清經一卷

晉夏侯湛　新論一卷

晉華譚　新論一卷

晉陸機　要覽一卷

晉梅氏　新論一卷

晉虞喜　志林新書一卷　廣林一卷　釋滯一卷　通疑一卷

晉干寶　干子一卷

晉顧夷　義訓一卷

隋王邵　讀書記一卷　_{以上馬國翰輯。}

魏文帝　典論一卷

晉楊泉　物理論一卷　_{以上黃奭輯。}

兵家類

握奇經注一卷　李光地撰。

握奇經解一卷　王瞳撰。

握奇經定本一卷　正義一卷　圖一卷　張惠言撰。

孫子彙徵四卷　鄭端撰。

孫子集注一卷　鄧廷羅撰。

司馬法古注三卷　附　音義一卷　曹元忠撰。

軍禮司馬法考徵一卷　黃以周撰。

衛公兵法輯本二卷　考證一卷　汪宗沂撰。

懼謀錄四卷　顧炎武撰。

兵謀一卷　兵法一卷　魏禧撰。

兵鏡十一卷　兵鏡或問二卷　鄧廷羅撰。

戊笈談兵十卷　汪紱撰。

洴澼百金方十四卷　吳宮桂撰。

治平勝算全書十六卷　年將軍兵法二卷　年羹堯撰。

兵法類案十三卷　謝文洊撰。

兵法集鑑六卷　史策先撰。

兵鑑五卷　測海錄五卷　徐宗幹撰。

行軍法戒錄二卷　秦光第撰。

奇門行軍要略四卷　劉文淇撰。

兵法入門一卷　左宗棠撰。

武備志略五卷　傅禹撰。

慎守要録九卷　韓霖撰。

防禦纂要一卷　游閎撰。

堅壁清野議一卷　龔景瀚撰。

練勇芻言五卷　王鑫撰。

臨陳心法一卷　劉連捷撰。

簡練集一卷　程榮春撰。

教練紀要十卷　謝瑛撰。

武備輯要六卷　續編十卷　許乃釗撰。

武備地利四卷　施永圖撰。

讀史兵略四十六卷　胡林翼撰。

百將傳二卷　丁日昌撰。

學射録二卷　李璨撰。

貫蝨心傳一卷　紀鑑撰。

征南射法一卷　內家拳法一卷　黃百家撰。

手臂録四卷　吳殳撰。

歷代車戰敘略一卷　張泰交撰。

練閱火器陣紀一卷　薛熙撰。

火器真訣解證一卷　沈善蒸撰。

火器略説一卷　王達權、王韜同撰。

中西火法一卷　薛鳳祚撰。

碳規圖説一卷　陈暘撰。

碳法撮要一卷　董祖修撰。

六韜逸文一卷　孫星衍輯。

六韜逸文一卷　孫同元輯。

六韜一卷　孫奭輯。

太公兵法逸文一卷　武侯八陣心法輯略一卷 _{汪宗沂輯。}

別本司馬法一卷 _{張澍輯。}

法家類

欽頒州縣事宜一卷 _{田文鏡撰。}

删定管子一卷 _{方苞撰。}

管子校正二十四卷 _{戴望撰。}

管子義證八卷 _{洪頤煊撰。}

弟子職集解一卷 _{莊述祖撰。}

弟子職箋釋一卷 _{洪亮吉撰。}

弟子職集注一卷 _{任文田撰。}

弟子職注一卷 _{孫同元撰。}

弟子職正音一卷 _{許瀚撰。}

弟子職音誼一卷 _{鍾廣撰。}

弟子職正音一卷 _{王筠撰。}

管子地員篇注四卷 _{王紹蘭撰。}

商君書新校正五卷 _{嚴萬里撰。}

韓非子識誤三卷 _{顧廣圻撰。}

韓非子校正一卷 _{盧文弨撰。}

韓非子集解二十卷 _{王先慎撰。}

疑獄集箋四卷 _{陳方生撰。}

洗冤錄詳義四卷　撫遺二卷 _{許槤、葛元煦撰。}

洗冤錄集證四卷 _{王又槐撰。}

洗冤錄辨正一卷 _{瞿中溶撰。}

洗冤錄集解一卷 _{姚德豫撰。}

洗冤錄證四卷 _{剛毅撰。}

巡城條約一卷　風憲禁約一卷　魏裔介撰。

提牢備考四卷　趙舒翹撰。

審看擬式六卷　剛毅撰。

爽鳩要録二卷　蔣超伯撰。

牧令書輯要十卷　徐致初撰。

筮仕金鑑二卷　邵嗣宗撰。

學治臆説二卷　續説一卷　説贅一卷　佐治藥言一卷　續一卷　汪輝祖撰。

學治一得録一卷　何耿繩撰。

學治偶存八卷　陸維祺撰。

吏治懸鏡一卷　徐文弼撰。

續刑法敍略一卷　譚瑄撰。

讀律佩觽一卷　王明德撰。

讀律琯朗一卷　梁他山撰。

讀律提綱一卷　楊榮緒撰。

讀律心得三卷　劉衡撰。

明刑管見録一卷　穆翰撰。

明刑弼教録六卷　王祖源撰。

折獄卮言一卷　陳士鑛撰。

辦案要略一卷　王又槐撰。

檢驗台參一卷　郎錦麒撰。

幕學舉要一卷　萬維翰撰。

未信編六卷　潘杓燦撰。

蕭曹隨筆四卷　不著撰人氏名。

治山經律劄記一卷　朱廷勘撰。

守禾日記六卷　盧崇興撰。

天台治略八卷　戴兆佳撰。

問心一隅二卷　<small>何秋濤撰。</small>

寄簃文存八卷　二編二卷　<small>沈家本撰。</small>

宋鄭克　折獄龜鑑八卷　<small>乾隆時敕輯。</small>

周申不害　申子一卷

漢晁錯　新書一卷

漢崔實　政論一卷

魏劉廙　政部論一卷

魏阮武　論一卷

魏桓範　世要論一卷

吳陳融　要言一卷　<small>以上馬國翰輯。</small>

李悝　法經一卷　<small>黃奭輯。</small>

農家類

授時通考七十八卷　<small>乾隆二年,鄂爾泰等奉敕撰。</small>

授衣廣訓二卷　<small>嘉慶十三年,董誥等奉敕撰。</small>

補農書二卷　<small>張履祥撰。</small>

梭山農譜三卷　<small>劉應棠撰。</small>

恆產瑣言一卷　<small>張英撰。</small>

寶訓八卷　<small>郝懿行撰。</small>

農業易知錄三卷　<small>鄭之任撰。</small>

澤農要錄六卷　<small>吳邦慶撰。</small>

增訂教稼書四卷　<small>盛百二撰。</small>

農雅六卷　<small>倪倬撰。</small>

農候雜占四卷　<small>梁章鉅撰。</small>

農圃備覽一卷　<small>丁宜曾撰。</small>

區田書一卷　王心敬撰。

區種五種五卷　附録一卷　趙夢齡撰。

江南催耕課稻篇不分卷　李彦章撰。

豳風廣義三卷　楊屾撰。

蠶桑萃編十五卷　衛杰撰。

種桑説三卷　附　飼蠶詩一卷　周凱撰。

蠶桑説一卷　沈練撰。

蠶桑簡編一卷　楊名颺撰。

廣蠶桑説輯要二卷　仲學輅撰。

廣蠶桑説輯補一卷　宗源瀚撰。

桑志十卷　李聿修撰。

湖蠶述四卷　汪曰楨撰。

橡繭圖説二卷　劉祖震撰。

樗繭譜一卷　鄭珍撰。

木棉譜一卷　褚華撰。

種苧蔴法一卷　李厚裕撰。

廣種柏樹興利除害條陳一卷　徐紹基撰。

野菜贊一卷　顧景崇撰。

撫郡農産考略二卷　何剛德撰。

元官撰　農桑輯要七卷

元魯明善　農桑衣食撮要二卷

元王楨　農書二十二卷　以上乾隆時敕輯。

神農書一卷

野老書一卷

周范蠡　范子計然三卷

養魚經一卷

漢尹都尉書一卷

漢氾勝之書一卷

漢蔡癸書一卷

漢卜式　養羊法一卷

唐郭橐駝　種樹書一卷　以上馬國翰輯。

范子計然一卷　黃奭輯。

醫家類

御定醫宗金鑑九十卷　乾隆十四年，鄂爾泰等奉敕撰。

素問直解九卷　高世栻撰。

素問集注九卷　張志聰撰。

素問懸解十三卷　黃元御撰。

素問釋義十卷　張琦撰。

素問校義一卷　胡澍撰。

內經知要九卷　李念莪撰。

內經運氣病釋九卷　內經運氣表一卷　內經難字一卷　陸懋
　　修撰。

靈樞經集注九卷　張志聰撰。

靈樞懸解九卷　黃元御撰。

素問靈樞類纂九卷　汪昂撰。

靈樞素問淺注十二卷　陳念祖撰。

難經懸解二卷　黃元御撰。

難經經釋二卷　徐大椿撰。

金匱玉函經注二十二卷　張揚俊撰。

金匱要略方論本義二十二卷　魏荔彤撰。

金匱要略論注二十四卷　徐彬撰。

金匱懸解二十二卷　黃元御撰。

金匱要略淺注十卷　金匱方歌括六卷　陳念祖撰。

金匱心典三卷　尤怡撰。

傷寒論注六卷　張志聰撰。

傷寒懸解十五卷　傷寒說意十一卷　黃元御撰。

傷寒論注四卷　一名《傷寒來蘇集》。

傷寒論翼附翼四卷　柯琴撰。

傷寒論注六卷　傷寒論附録二卷　傷寒例新注一卷　讀傷寒論心法一卷　王丙撰。

傷寒論綱目十六卷　沈金鼇撰。

傷寒分經十卷　吳儀洛撰。

傷寒論條辨續注十二卷　鄭重光撰。

傷寒論淺注六卷　長沙方歌括六卷　傷寒醫訣串解六卷　傷寒真方歌括六卷　陳念祖撰。

傷寒論陽明病釋四卷　陸懋修撰。

傷寒卒病論讀不分卷　沈又彭撰。

傷寒集注十卷　附録五卷　傷寒六經定法一卷　舒詔撰。

傷寒論後條辨十五卷　程應旄撰。

傷寒纘論二卷　傷寒緒論二卷　張璐撰。

傷寒類方一卷　徐大椿撰。

傷寒論補注一卷　顧觀光撰。

傷寒辨證廣注十四卷　中寒論辨證廣注三卷　汪琥撰。

傷寒舌鑑一卷　張登撰。

傷寒兼證析義一卷　張倬撰。

傷寒貫珠集八卷　尤怡撰。

傷寒審證表一卷　包誠撰。

傷寒大白論四卷　秦之楨撰。

長沙藥解四卷 　黃元御撰。

聖濟總錄纂要二十六卷 　程林撰。

四聖心源十卷　四聖懸樞四卷　素靈微蘊四卷 　黃元御撰。

尚論篇四卷　後篇四卷　傷寒答問一卷　醫門法律六卷　寓
　意草一卷　生民切要二卷 　喻昌撰。

醫學真傳一卷 　高世栻撰。

診家正眼二卷　病機沙篆二卷 　李中梓撰。

診宗三昧一卷 　張璐撰。

四診扶微八卷 　林之翰撰。

證治大還四十卷 　陳治撰。

馬師津梁八卷 　馬元儀撰。

醫笈寶鑑十卷 　董西園撰。

蘭臺軌範八卷　醫學源流論二卷　醫貫砭二卷 　徐大椿撰。

醫林纂要十卷 　汪紱撰。

醫學從眾錄八卷　醫學實在易八卷 　陳念祖撰。

醫學舉要六卷 　徐鏞撰。

醫門棒喝四卷　二集九卷 　章楠撰。

救偏瑣言十卷 　費啟泰撰。

侶山堂類辨一卷 　張志聰撰。

名醫彙粹八卷 　羅美撰。

辨證錄十四卷 　陳士鐸撰。

病機彙論十八卷 　沈朗山撰。

醫學讀書記三卷　續一卷 　尤怡撰。

續名醫類案六十卷 　魏之琇撰。

醫林集腋十六卷 　趙學敏撰。

醫學彙纂指南八卷 　端木縉撰。

醫理信述六卷 　夏子俊撰。

醫經原旨六卷　薛雪撰。

醫津筏一卷　江之蘭撰。

醫醇賸義四卷　費伯雄撰。

張氏醫通十六卷　張璐撰。

李氏醫鑑十卷　續補二卷　李文來撰。

洄溪醫案一卷　徐大椿撰。

王氏醫案五卷　王士雄撰。

康齋醫案偶存一卷　陳其晋撰。

錢氏醫略四卷　錢一桂撰。

爕臣醫學十卷　屠通和撰。

世補齋醫書十六卷　陸懋修撰。

李翁醫記三卷　焦循撰。

柳州醫話一卷　魏之琇撰。

冷廬醫話五卷　陸以湉撰。

潛齋醫話一卷　王士雄撰。

神農本草百種録一卷　徐大椿撰。

神農本草經讀四卷　陳念祖撰。

本草述三十二卷　劉若金撰。

得宜本草一卷　王子接撰。

本草備要四卷　汪昂撰。

本草崇原三卷　高世栻、張志聰撰。

本草通原二卷　李中梓撰。

本草綱目藥品藥目一卷　蔡烈先編。　圖三卷　許燮年繪。

本草萬方緘綫八卷　蔡烈先撰。

本草話二十二卷　本草綱目拾遺十卷　藥性元解四卷　花藥
小名録四卷　奇藥備考六卷　趙學敏撰。

本草綱目求真十一卷　黃宮繡撰。

本草滙纂十卷　屠通和撰。

本經逢原四卷　張璐撰。

本經疏證十二卷　續疏六卷　本經序疏要八卷　鄒澍撰。

藥性歌括一卷　日用菜物一卷　汪昂撰。

玉楸藥解四卷　黃元御撰。

要藥分劑十卷　沈金鰲撰。

藥性賦音釋一卷　金苹華撰。

古方考四卷　龍柏撰。

名醫方論三卷　羅美撰。

程氏易簡方論六卷　程履新撰。

絳雪園古方選注三卷　王子接撰。

醫方集解二十三卷　湯頭歌括一卷　汪昂撰。

臨證指南醫案十卷　葉桂撰。

養素園傳信方六卷　趙學敏撰。

洄溪秘方一卷　徐大椿撰。

成方切用十四卷　吳儀洛撰。

得心錄一卷　李文淵撰。

時方妙用四卷　時方歌括二卷　景岳新方砭四卷　十藥神書
注解一卷　陳念祖撰。

四科簡效方十卷　王士雄撰。

集驗良方六卷　年希堯撰。

便易經驗集三卷　毛世洪撰。

良方集腋二卷　良方合璧二卷　謝元慶編。

醫方易簡十卷　龔月川撰。

行軍方便方三卷　羅世瑤撰。

平易方三卷　葉香侶撰。

萬選方一卷　余楙撰。①

急救良方一卷　余成甫撰。

世補齋不謝方一卷　陸懋修撰。

運氣精微二卷　薛鳳祚撰。

時節氣候決病法一卷　王丙撰。

升降秘要二卷　趙學敏撰。

經絡歌括一卷　汪昂撰。

脈訣彙辨十卷　李延是撰。

脈理求真一卷　黄宮繡撰。

釋骨一卷　沈彤撰。

雜病源流三十卷　沈金鰲撰。

温證語録一卷　喻昌撰。

廣温熱論五卷　戴天章撰。

温熱論一卷　薛雪撰。

瘟疫傳症彙編二十卷　熊立品撰。

温疫條辨摘要一卷　吕田撰。

松峯説疫六卷　劉奎撰。

温熟經緯五卷　王士雄撰。

温症痧疹辨證一卷　許汝楫撰。

痧脹玉衡書三卷　後書三卷　郭志邃撰。

治瘧痢方一卷　倪涵初撰。

痢疾論四卷　孔毓禮撰。

痧法備旨一卷　歐陽調律撰。

霍亂論二卷　陳念祖撰。

霍亂論二卷　王士雄撰。

---

①　"余"原作"金",據《清史稿藝文志及補編》、《白嶽盦雜綴》本書所題作者名改。

吊脚痧方論一卷　徐子默撰。

喉科祕鑰二卷　許佐廷撰。

爛喉痧疹輯要一卷　金德鑑撰。

時疫白喉捷要一卷　張紹修撰。

血症經驗良方一卷　潘爲縉撰。

傳青主男科二卷　女科二卷　産後編二卷　傅山撰。

濟陰綱目十四卷　武之望撰，汪淇箋。

女科要旨四卷　陳念祖撰。

甯坤寶笈二卷　附一卷　釋月田撰。

女科輯要八卷　周紀常撰。

婦科玉尺六卷　沈金鼇撰。

女科經論八卷　蕭壎撰。

産科心法二卷　江喆撰。

産孕集二卷　張曜孫撰。

胎産護生編一卷　李長科撰。

達生編一卷　亟齋居士撰。

保生碎事一卷　汪淇撰。

幼科鐵鏡六卷　夏鼎撰。

雅愛堂痘疹驗方一卷　邵嗣堯撰。

馮氏錦囊秘録雜症大小合參二十卷　痘疹全集十五卷　雜症痘疹藥性合參十二卷　馮兆張撰。

痘疹不求人方論一卷　朱隆撰。

痧痘集解六卷　俞茂崐撰。

保童濟世論一卷　陳含章撰。

痘證寶筏六卷　強健撰。

莊氏慈幼二書二卷　莊一夔撰。

幼科釋謎六卷　沈金鼇撰。

幼幼集成六卷　陳復成撰。

天花精言六卷　袁旬撰。

牛痘要法一卷　蔣致遠撰。

外科正宗評十二卷　徐大椿撰。

外科證治全生一卷　王維德撰。

治疗彙要三卷　過鑄撰。

一草亭目科全書一卷　鄧苑撰。

眼科方一卷　葉桂撰。

治蠱新方一卷　路順德撰。

理瀹駢文二卷　吳尚先撰。

串雅八卷　祝由録驗四卷　趙學敏撰。

藥症宜忌一卷　陳澈撰。

醫學三字經四卷　陳念祖撰。

慎疾芻言一卷　徐大椿撰。

勿藥須知一卷　尤乘撰。①

攝生間覽四卷　趙學敏撰。

醫故二卷　鄭文焯撰。

不知時代撰人　顧頡經二卷

宋王袞　博濟方五卷

宋沈括　蘇沈良方八卷

宋董汲　脚氣治法總要二卷　旅舍備要方一卷

宋韓祇　傷寒微旨二卷

宋王貺　全生指迷方四卷

---

① "乘"原作"垂"，據《清史稿藝文志及補編》、《小石山房叢書》本書所題作者名改。

宋夏德　衛生十全方三卷　奇疾方一卷

東軒居士　衛濟寶書二卷

不知撰人　太醫局程文九卷

產育寶慶方二卷

宋李迅　集驗背疽方一卷

宋嚴用和　濟生方八卷

不知撰人　產寶諸方一卷

救急仙方六卷

元沙圖穆蘇瑞竹堂　經驗方五卷　以上乾隆時敕輯。

神農本草經三卷　孫星衍、孫馮翼同輯。

神農本草經三卷　顧觀光輯。

天文算法類

曆象考成四十二卷　康熙五十二年,聖祖御撰。

曆象考成後編十卷　乾隆二年敕撰。

儀象考成三十二卷　乾隆九年,戴進賢等奉敕撰。

儀象考成續編三十二卷　道光二十四年,敬徵等奉敕撰。

律曆淵源一百卷　雍正元年,世宗御定。

萬年書不分卷　道光時奉敕撰。

歷代三元甲子編年三卷　道光時奉敕撰。

天經或問前集一卷　後集一卷　游藝撰。

天步真原一卷　天學會通一卷　薛鳳祚撰。

天元曆理大全十二卷　徐發撰。

天文考異一卷　徐文靖撰。

續天文略一卷　戴震撰。

天學入門一卷　徐朝俊撰。

圜天圖説三卷　續編二卷　_{李明徵撰。}李明徵撰。

天學問答二卷　梅啟照撰。

天算或問一卷　李善蘭撰。

測天約術一卷　陳昌齊撰。

曉庵新法六卷　曉庵雜著一卷　曆法表三卷　王錫闡撰。

曆學會通正集十二卷　考驗部二十八卷　致用部十六卷　薛鳳祚撰。

曆學疑問三卷　疑問補二卷　曆學駢枝四卷　曆學答問一卷　交食管見一卷①　交食蒙求三卷　七政細草補注一卷　平立定三差解一卷　梅文鼎撰。

平立定三差詳説一卷　梅毂成撰。

曆象本要一卷　李光地撰。

曆法記疑一卷　王元啟撰。

推步法解五卷　曆學補論一卷　歲實消長辨一卷　恒氣注曆辨一卷　中西合法擬草一卷　七政衍一卷　江永撰。

八綫測表圖説一卷　余熙撰。

古今歲實考校補一卷　古今朔實考校補一卷　黃汝成撰。

交食圖説舉隅一卷　推算日食增廣新術二卷　羅士琳撰。

表算日食三差一卷　朔食九服里差三卷　強弱率通考一卷

古今積年解源二卷　徐有壬撰。

日法朔餘強弱考一卷　李鋭撰。

陵犯新術三卷　司徒棟、杜熙齡同撰。

交食細草三卷　張作楠撰。

尺算日晷新義二卷　劉衡撰。

推步簡法三卷　顧觀光撰。

———————

① "食"原作"會",據《清史稿藝文志及補編》、《梅氏叢書輯要》所題書名改。

推步迪蒙記一卷　成孺撰。

推步惟是四卷　安清翹撰。

古今推步諸術考二卷　太歲超辰表一卷　疑年表一卷　汪曰楨撰。

躔離引蒙一卷　交食引蒙一卷　賈步緯撰。

交食捷算四卷　五緯捷術四卷　黃炳垕撰。

五星行度解一卷　王錫闡撰。

中星譜一卷　胡亶撰。

五星紀要一卷　火星本法一卷　梅文鼎撰。

中西經星異同考一卷　南極諸星考一卷　梅文鼏撰。

金水發微一卷　江永撰。

中星表一卷　徐朝俊撰。

恒星說一卷　江聲撰。

歲星表一卷　朱駿聲撰。

恒星餘論一卷　張星江撰。

中星全表三卷　劉文瀾撰。

星土釋三卷　李林松撰。

恒星圖表一卷　賈步緯撰。

新測恒星圖表一卷　中星圖表一卷　更漏中星表三卷　金華晷漏中星表二卷　張作楠撰。

句陳晷度一卷　廿星距度一卷　日星測時表二卷　余煌撰。

赤道南北恒星圖一卷　鄒伯奇撰。

赤道經緯恒星圖一卷　六嚴撰。

黃道經緯恒星圖一卷　戴進賢撰。

北極經緯度分表一卷　齊彥槐撰。

北極高度表一卷　劉茂吉撰。

冬至考一卷　梅文鼎撰。

冬至權度一卷　江永撰。

全史日至源流三十三卷　許伯政撰。

璿璣遺述七卷　揭暄撰。

三政考一卷　吳鼐撰。

顓頊曆考二卷　鄒漢勛撰。

顓頊新術一卷　夏殷曆章蔀合表一卷　周初年月日歲星表一
　　卷　姚文田撰。

漢太初曆考一卷　成孺撰。

三統術衍三卷　術鈐三卷　錢大昕撰。

三統術衍補一卷　董佑誠撰。

三統術詳説三卷　陳澧撰。

漢三統術注三卷　漢四分術注三卷　漢乾象術注二卷　補修
　　宋奉元術并注一卷　補修宋占天術並注一卷　李鋭撰。

麟德術解三卷　李善蘭撰。

大統曆法啟蒙一卷　王錫闡撰。

大統書志十七卷　梅文鼎撰。

六曆通考一卷　回回曆解一卷　顧觀光撰。

曆代長術輯要十卷　汪曰楨撰。

古術今測八卷　附考二卷　梁僧寶撰。

萬青樓圖編十六卷　邵昂霄撰。

揆日候星紀要一卷　歲周地度合考一卷　諸方日軌高度表一
　　卷　梅文鼎撰。

揆日正方圖表一卷　徐朝俊撰。

地球圖説補一卷　焦循撰。

地圖説一卷　焦廷琥撰。

二儀銘補注一卷　梅文鼎撰。

授時術解六卷　黃鉞撰。

測地志要四卷　<small>黃炳垕撰。</small>

輿地經緯度里表一卷　<small>丁取忠撰。</small>

元趙友欽　原本革象新書五卷　<small>乾隆時敕輯。</small>

黃帝泰階六符經一卷

不知撰人　五殘雜變星書一卷

漢張衡　靈憲一卷　軍儀一卷

吳姚信　昕天論一卷

晉虞喜　安天論一卷　<small>以上馬國翰輯。</small>

　　以上天文算法類推步之屬

數理精蘊五十三卷　<small>康熙十三年，聖祖御撰。</small>

周髀算經圖注一卷　<small>吳烺撰。</small>

周髀算經校勘記一卷　<small>顧觀光撰。</small>

周髀算經述一卷　算略一卷　<small>馮經撰。</small>

方田通法一卷　方程論六卷　句股舉隅一卷　句股闡微四卷
<small>梅文鼎撰。</small>

句股引蒙五卷　句股述二卷　<small>陳訏撰。</small>

句股矩測解原二卷　<small>黃百家撰。</small>

句股正義一卷　<small>楊作枚撰。</small>

句股割圜記三卷　<small>戴震撰。</small>

句股容三事拾遺三卷　附例一卷　<small>羅士琳撰。</small>

句股淺術一卷　<small>梅沖撰。</small>

句股尺測量新法一卷　<small>劉衡撰。</small>

句股六術一卷　<small>項名達撰。</small>

句股截積算術二卷　<small>羅士琳撰。</small>

句股圖解四卷　<small>焦騰鳳撰。</small>

少廣拾遺一卷　<small>梅文鼎撰。</small>

少廣補遺一卷　<small>陳世仁撰。</small>

少廣正負術内外篇六卷　<small>孔廣森撰。</small>

少廣縋鑒一卷　<small>夏鸞翔撰。</small>

開方補记六卷　求一算術一卷　附　通論一卷　<small>张敦仁撰。</small>

開方釋例四卷　游藝録二卷　<small>駱騰鳳撰。</small>

開方之分還原術一卷　<small>宋景昌撰。</small>

開諸乘方捷術一卷　<small>項名達撰。</small>

方程新術細草一卷　<small>李鋭撰。</small>

方程術一卷　句股術一卷　句股目録一卷　句股細草一卷
　散根方釋例一卷　<small>吴嘉善撰。</small>

方田通法補例六卷　<small>張作楠撰。</small>

海島算經細草圖説一卷　<small>李潢撰。</small>

海島算經緯筆一卷　<small>李鏐撰。</small>

五經算術考證一卷　<small>戴震撰。</small>

緝古算經考注二卷　<small>李潢撰。</small>

校緝古算經一卷　圖解一卷　細草一卷　音義一卷　<small>陳杰撰。</small>

緝古算經細草三卷　<small>張敦仁撰。</small>

緝古算經圖草四卷　<small>揭庭鏘撰。</small>

緝古算經補注一卷　<small>劉衡撰。</small>

九章録要十二卷　<small>屠文漪撰。</small>

九章算術細草圖説九卷　<small>李潢撰。</small>

天元一術圖説一卷　<small>葉裳撰。</small>

天元一術一卷　天元名式釋例一卷　天元一草一卷　天元問
　答一卷　<small>吴嘉善撰。</small>

天元一釋二卷　<small>焦循撰。</small>

天元句股細草一卷　測圖海鏡細草十二卷　<small>李鋭撰。</small>

測圓海鏡法筆一卷　<small>李鏐撰。</small>

校正算學啓蒙三卷　<small>羅士琳撰。</small>

算學啓蒙通釋三卷　<small>徐鳳誥撰。</small>

四元玉鑑細草二十四卷　附一卷　增一卷　四元釋例二卷　<small>羅士琳撰。</small>

四元玉鑑省筆一卷　<small>李鏐撰。</small>

四元算式一卷　<small>徐有壬撰。</small>

四元解二卷　<small>李善蘭撰。</small>

四元名式擇例一卷　四元草一卷　<small>吳嘉善撰。</small>

四元術贅一卷　<small>方克猷撰。</small>

弧矢啓秘二卷　<small>李善蘭撰。</small>

弧矢算術補一卷　<small>羅士琳撰。</small>

弧矢算術細草圖解一卷　<small>李銳草,馮桂芬圖解。</small>

幾何補編五卷　幾何通解一卷　<small>梅文鼎撰。</small>

幾何論約七卷　<small>杜知耕撰。</small>

幾何易簡集三卷　<small>李子金撰。</small>

幾何舉隅六卷　<small>鄭毓英譯。</small>

新譯幾何原本十三卷　續補二卷　代微積拾級十八卷　曲綫說一卷　<small>李善蘭譯。</small>

增刪算法統宗十一卷　<small>梅瑴成撰。</small>

割圜密率捷法四卷　<small>明安圖撰。</small>

校正割圜密率捷法四卷　<small>羅士琳撰。</small>

莊氏算學八卷　<small>莊亨陽撰。</small>

數學鑰六卷　<small>杜知耕撰。</small>

筆法便覽五卷　<small>紀大奎撰。</small>

算賸一卷　<small>江永撰。</small>

九數通考十三卷　<small>屈曾發撰。</small>

衡齋算學七卷　<small>汪萊撰。</small>

算牖四卷　宣西通三卷　許桂林撰。

算迪八卷　何夢瑤撰。

學强恕齋筆算十卷　梅啓照撰。

算學發蒙五卷　潘逢禧撰。

九藝算解一卷　九數外録一卷　算賸初編一卷　續編 一卷
餘稿二卷　顧觀光撰。

古算演略一卷　古算器考一卷　筆算五卷　籌算七卷　梅文
鼎撰。

百鷄術演二卷　時日醇撰。

珠算入門一卷　張豸冠撰。

算術問答一卷　錢大昕撰。

學計一得二卷　鄒伯奇撰。

西算新法直解八卷　馮桂芬、陳暘同撰。

平三角舉要五卷　弧三角舉要五卷　環中黍尺六卷　壍堵測
量二卷　方圓冪積一卷　割圓八綫表一卷　度算釋例二卷
梅文鼎撰。

數度衍二十四卷　方中通撰。

測算刀圭三卷　視學二卷　面體比例便覽一卷　對數表一卷
年希堯撰。

同度記一卷　孔繼涵撰。

正弧三角疏義一卷　江永撰。

弧角簡法四卷　余煌撰。

象數一原六卷　橢圓術一卷　項名達撰。

加減乘除釋八卷　釋弧三卷　釋輪二卷　釋橢一卷　開方通
釋一卷　焦循撰。

矩綫原本四卷　一綫表用六卷　安清翹撰。

三角和較算例一卷　演元九式一卷　臺錐積演一卷　比例會

通四卷　綴術輯補一卷　增廣新術二卷　羅士琳撰。

洞方術圓解二卷　致曲術一卷　致曲術圖解一卷　萬象一原九卷　夏鸞翔撰。

平三角平視法一卷　陳澧撰。

格術補一卷　對數尺記一卷　乘方捷術三卷　鄒伯奇撰。

外切密率四卷　假數測圓二卷　對數簡法二卷　續對數簡法一卷　戴煦撰。

弧田問率一卷　演元要義一卷　直積回求一卷　謝家禾撰。

量倉通法校筆一卷　算學奇題削筆一卷　李鏐撰。

量倉通法五卷　倉田通法續編三卷　八綫類編三卷　八綫對數類編二卷　八綫對數表一卷　弧角設如三卷　高弧細草一卷　張作楠撰。

弧三角舉隅一卷　江臨泰撰。

籌表開諸乘方捷法二卷　借根方淺説一卷　四率淺説一卷　劉衡撰。

割圓連比例術圖解三卷　橢圓求周術一卷　堆垛求積術一卷　斜弧三邊求角補術一卷　董祐誠撰。

測圓密率三卷　堆垛測圓一卷　垛積招差一卷　橢圓正術一卷　截球解義一卷　弧三角拾遺一卷　圓率通考一卷　橢圓求周術一卷　割圓八綫綴術四卷　造各表簡法一卷　徐有壬撰。

方圓闡幽一卷　對數探源二卷　垛積比類四卷　橢圓正術解二卷　橢圓新術一卷　橢圓拾遺三卷　尖錐變法釋一卷　級數回求一卷　李善蘭撰。

綴術釋明二卷　綴術释戴一卷　左潛撰。

圓率考真圖解一卷　曾紀鴻、左潛、黃宗憲同撰。

求一術通解二卷　左潛、黃宗憲同撰。

客圓七術三卷　曲面容方一卷　黃宗憲撰。

開方用表簡術一卷　程之驥撰。

弧角拴遺一卷　開方表一卷　賈步緯撰。

對數詳解五卷　曾紀鴻、丁取忠同撰。

對數四問一卷　劉彝程撰。

八綫對數表一卷　對數詳解一卷　數學拾遺一卷　丁取忠撰。

借根方句股細草一卷　李錫蕃撰。

粟米演草二卷　補一卷　第一卷，丁取忠、左潛、曾紀鴻、吳嘉善、李善蘭同撰；第二卷，鄒伯奇、丁取忠、左潛同撰；補卷，丁取忠撰。

筆算一卷　今有術一卷　分法一卷　開方釋一卷　立方立圓術一卷　平方術一卷　平圓術一卷　平三角術一卷　弧三角術一卷　測量術一卷　差分術一卷　盈朒術一卷　割圓八綫綴術一卷　方程天元合釋一卷　吳嘉善撰。

西算初堦一卷　算法須知一卷　開方別術一卷　數根術解一卷　開方古義一卷　積較術三卷　算草叢存四卷　學算筆談六卷　華蘅芳撰。

尖錐曲綫學一卷　八綫法術一卷　諸乘差對數説一卷　方克猷撰。

不知時代撰人　九章算術九卷

孫子算經三卷

晉劉徽　海島算經一卷

不知撰人　五曹算經五卷

夏侯陽算經三卷

北周甄鸞　五經算術五卷

宋秦九韶　數學九章十八卷

元李冶　益古演段二卷　以上乾隆時敕輯。

以上天文算法類算書之屬

術數類

易林釋文一卷　丁晏撰。

易林校略十六卷　翟云升撰。

太玄解一卷　焦袁熹撰。

太玄別訓五卷　劉斯組撰。

太玄經補注四卷　孫滋撰。

太玄闡秘十卷　陳本禮撰。

太玄後知六卷　許桂林撰。

潛虛解一卷　焦袁熹撰。

潛虛述義三卷　蘇木天撰。

皇極經世書解十四卷　王植撰。

皇極數鈔二卷　陶成撰。

皇極經世緒言九卷　黄泉泰、包耀同撰。

皇極經世易知八卷　何夢瑤撰。

洪範補注五卷　潘士權撰。

洪範圖説四卷　舒俊鯤撰。

衍範二卷　顧昌祚撰。

數書探賾不分卷　數書索隱五卷　數書致遠二卷　不著撰人氏名。

濬元十六卷　張必剛撰。

河洛理數便覽一卷　紀大奎撰。

宋張行成　皇極經世索隱二卷

宋丁易東①　**大衍索隱三卷**　乾隆時敕輯。

　　以上術數類數學之屬

天文大成管窺輯要八十卷　黄鼎撰。

推測易知四卷　陳松撰。

請雨經一卷　紀大奎撰。

校正開元占經九藝術一卷　徐有壬撰。

　　以上術數類占候之屬

葬經箋注一卷　吳元音撰。

撼龍經校補十二卷　**疑龍經校補三卷**　楊錫勳撰。

撼龍經注二卷　李文田撰。

天玉經注七卷　**天玉經説七卷**　黄越撰。

青囊天玉通義五卷　張惠言撰。

楊氏地理元文注四卷　附　**周易葬説一卷**　端木國瑚撰。

地理大成三十六卷　葉九升撰。

山法全書十九卷　**平陽全書十五卷**　葉泰撰。

地理辨正直解五卷②　**地理存真一卷**　　**地理古鏡歌一卷**　**歸厚録一卷**　蔣大鴻撰。

地理末學六卷　**水法要訣五卷**　紀大奎撰。

羅經解定七卷　胡國楨撰。

青囊解惑四卷　汪沆撰。

地理述八卷　陳詵撰。

地理旨宗二卷　程永芳撰。

---

　①　"東"，原脱，據《清史稿藝文志及補編》、《四庫全書》本書所題作者名補。

　②　"正直"原作"直正"，據《清史稿藝文志及補編》、《四庫全書》本書所題書名改。

地理或問二卷　陸應穀撰。

堪輿洩秘六卷　熊起磻撰。

陽宅大成十五卷　魏青江撰。

陽宅撮要二卷　吳鼒撰。

陽宅闢廖一卷　原題梅漪老人撰。

風水袪惑一卷①　丁芮樸撰。

五種秘竅十七卷　甘時望撰。

定穴立向開門放水墳宅便覽要訣四卷　梅自實撰。

靈城秘旨一卷　余楙撰。

　　　以上術數類相宅相墓之屬

卜法詳考四卷　胡煦撰。

易冒十卷　程良玉撰。

風角書八卷　張爾岐撰。

三才世緯一百卷　不著撰人氏名。

景祐六壬神定經一卷②　楊維德撰。

六壬指南五卷　程起鸞撰。

六壬經緯六卷　毛志道撰。

六壬課經集四卷　郭戴騄撰。

六壬類叙四卷　紀大奎撰。

大六壬尋源四卷　張純照撰。

奇門一得二卷　甘時望撰。

奇門闡秘六卷　羅世瑤撰。

奇門金章一卷　不著撰人氏名。

---

①　"惑"原作"感"，據《清史稿藝文志及補編》、《月河精舍叢鈔》本書所題書名改。

②　"祐"原作"祜"，據《清史稿藝文志及補編》、《正學堂雜著》所題書名改。

以上術數類占卜之屬

太乙照神經三卷　經驗二卷 劉學曾撰。

子罕言四卷 沈志言撰。

命盤圖説三卷 陶胥來撰。

中西星命叢説一卷 温葆深撰。

五星聚脓十卷　續編一卷 廖冀亨撰。

舊題周老子　月波洞中記二卷

周鬼谷子　命書　唐李虛中注三卷

晋郭璞　玉照定真經　張顒注一卷

南唐宋齊邱　玉管照神局三卷

後周王朴　太清神鑑六卷

宋徐子平　徐氏珞琭子賦注二卷

宋岳珂　注三命指迷賦一卷

遼耶律純　星命總括三卷

金張行簡　人論大統賦一卷 以上乾隆時敕輯。

以上術數類相書命書之屬

星曆考原六卷 康熙五十二年,李光地等奉敕輯。

協紀辨方書三十六卷 乾隆四年,莊親王允禄等奉敕撰。

選擇曆書十卷 康熙二十三年,欽天監奉敕撰。

禽遁七元成局書十四卷 汪漢謀撰。

永寧通書十二卷 王維德撰。

選擇天鏡三卷 任端書、熊鎮遠同撰。

諏吉便覽二卷 俞榮寬撰。

諏吉彙纂六卷 梅菁門撰。

擇吉禽要四卷　<small>姚承恩撰。</small>

陳子性藏書十二卷　<small>陳應選撰。</small>

出行寶鏡一卷　<small>不著撰人氏名。</small>

　　以上術數類陰陽五行之屬

字觸六卷　<small>周亮工撰。</small>

栻玟經一卷　<small>吳嶼撰。</small>

夢書一卷　<small>閨秀王照圓撰。</small>

紀夢編年一卷　<small>釋成鷟撰。</small>

　　以上術數類雜技之屬

藝術類

佩文齋書畫譜一百卷　<small>康熙四十七年，孫岳頒奉敕撰。</small>

石渠寶笈四十四卷　秘殿珠林二十四卷　<small>乾隆九年，張照等奉敕撰。</small>

六藝之一錄四百六卷　續編十二卷　<small>倪濤撰。</small>

隸八分辨一卷　<small>方輔撰。</small>

楷法溯源十二卷　<small>潘存撰。</small>

十七帖述一卷　<small>王弘撰撰。</small>

草韻彙編二十六卷　<small>陶南望撰。</small>

顏書編年錄四卷　<small>黃本驥撰。</small>

飛白錄二卷　<small>陸紹曾撰。</small>

書法正傳十卷　<small>馮武撰。</small>

重校書法正傳不分卷　<small>蔣和撰。</small>

鈍吟書要一卷　<small>馮班撰。</small>

書法雅言一卷　<small>項穆撰。</small>

書學彙編十卷　<small>萬斯同撰。</small>

書學捷要二卷 　朱履貞撰。

漢溪書法通解八卷 　戈守智撰。

臨池心解一卷 　朱和羹撰。

臨池瑣語一卷 　陳昌齊撰。

龔安節書訣一卷 　龔賢撰。

書筏一卷 　笪重光撰。

評書帖一卷 　梁巘撰。

頻羅庵論書一卷 　梁同書撰。

藝舟雙楫九卷 　包世臣撰。

初月樓論書隨筆一卷 　吳德旋撰。

墨海人名録十卷 　童翼駒撰。

國朝書人輯略十一卷 　震鈞撰。

玉臺書史一卷 　厲鶚撰。

讀畫録四卷 　周亮工撰。

繪事備考八卷 　王毓賢撰。

重編圖繪寶鑑八卷 　馮仙湜撰。

月湖讀畫録一卷 　王樑撰。

畫學鉤深一卷 　汪日楨撰。

苦瓜和尚畫語録一卷 　釋道濟撰。

畫訣一卷 　龔賢撰。

畫筌一卷 　笪重光撰。

題畫詩一卷　畫跋一卷 　惲格撰。

雨窗漫筆一卷 　王原祁撰。

東莊論畫一卷 　王昱撰。

指頭畫記一卷 　高秉撰。

石村畫訣一卷 　孔衍栻撰。

画麈一卷 　沈灝撰。

續事發微一卷　唐岱撰。

小小畫譜二卷　鄒一桂撰。

傳神秘要一卷　蔣驥撰。

山静居畫論二卷　方薰撰。

松壺畫贅二卷　畫憶二卷　錢杜撰。

國朝畫徵録三卷　續録二卷　圖畫精意識一卷　浦山論畫一卷　張庚撰。

鄭板橋題畫一卷　鄭燮撰。

二十四畫品一卷　黄鉞撰。

山南論畫一卷　王學浩撰。

畫學心印八卷　桐陰論畫三卷　續一卷　畫訣一卷　秦祖永撰。

畫絮十卷　戴熙撰。

溪山臥游録四卷　盛大士撰。

覘園煙墨著録一卷　徐堅撰。

畫筌析覽一卷　湯貽汾撰。

南宋院畫録八卷　厲鶚撰。

明畫録八卷　徐沁撰。

南薰殿圖象考二卷　國朝院畫録二卷　胡敬撰。

無聲詩史七卷　姜紹書撰。

歷代畫家姓氏韻編七卷　顧仲清撰。

宋元以來畫人姓名録三十六卷　魯峻撰。

明畫姓氏彙編八卷　陳豫鍾撰。

畫史彙傳七十二卷　彭蘊璨撰。

歷代畫史彙傳附録二卷　邱步洲撰。

墨林今話十八卷　續編一卷　蔣寶齡撰。

海虞畫苑略一卷　補遺一卷　魚翼撰。

越畫見聞一卷　陶元藻撰。

玉臺畫史五卷　閨秀湯漱玉撰。

芥子園畫傳五卷　王安節撰。

西清劄記四卷　胡敬撰。

石渠隨筆八卷　阮元撰。

庚子消夏記八卷　孫承澤撰。

庚子消夏記校正一卷　何焯撰。

江村消夏録三卷　高士奇撰。

書畫記六卷　吳其貞撰。

式古堂書畫彙考六十卷　卞永譽撰。

吳越所見書畫録六卷　陸時化撰。

大觀録二十卷　吳敏撰。

鳴野山房書畫記三卷　沈啓濬撰。

好古堂書畫記二卷　姚際恆撰。

臥庵藏書畫目一卷　朱之赤撰。

湘管齋寓賞編六卷　陳焯撰。

烟雲過眼録二十卷　周在浚撰。

梁溪書畫徵一卷　嵇曾筠撰。

墨緣彙觀四卷　原題松泉老人撰。

寓意録四卷　繆曰藻撰。

辛丑消夏記八卷　吳榮光撰。

嶽雪樓書畫録五卷　孔廣鏞、孔廣陶同撰。

聽颿樓書畫記五卷　潘正煒撰。

夢園書畫録二十五卷　方濬頤撰。

紅豆樹館書畫記八卷　陶樑撰。

須静齋雲烟過眼録一卷　潘世璜撰。

玉雨堂書畫記四卷　韓泰華撰。

過雲樓書畫記十卷　顧文彬撰。

書畫鑑影二十四卷　李佐賢撰。

穰梨館過眼録四十卷　續録十六卷　陸心源撰。

瞶瞶齋書畫記四卷　謝誠鈞撰。

甌鉢羅館書畫過目考四卷　李玉棻撰。

諸家藏書畫簿十卷　李調元撰。

砥齋題跋一卷　王弘撰撰。

義門題跋一卷　何焯撰。

湛園題跋一卷　姜宸英撰。

麓臺題畫稿一卷　王原祁撰。

隱緑軒題識一卷　陳奕禧撰。

天瓶齋書畫題跋二卷　張照撰。

半氈齋題跋二卷　江藩撰。

汪文端題跋一卷　汪由敦撰。

清儀閣題跋四卷　張廷濟撰。

儀顧堂題跋十六卷 續十六卷　陸心源撰。

退庵金石書畫題跋二十卷　梁章鉅撰。

大滌子題畫跋一卷　釋道濟撰。

南田畫跋一卷　惲格撰。

墨井題跋一卷　吳曆撰。

畫梅題跋一卷　查禮撰。

畫竹題記一卷　畫梅題記一卷　畫馬題記一卷　畫佛題記一
　　卷　自寫真題記一卷　金農撰。

畫梅題記一卷　朱方藹撰。

裝潢志一卷　周嘉冑撰。

賞延素心録一卷　周二學撰。

宋岳珂　寶真齋法書贊二十八卷

元李衎　竹譜十卷

元鄭杓　衍極十卷　以上乾隆時敕輯。

　　以上藝術類書畫之屬

印典八卷　朱象賢撰。

續三十五舉一卷　再續三十五舉一卷　重定續三十五舉一卷
桂馥撰。

再續三十五舉一卷　黃子高撰。

續三十五舉一卷　余楙撰。

再續三十五舉一卷　姚晏撰。

篆刻鍼度八卷　陳克恕撰。

說篆一卷　許容撰。

六書緣起一卷　篆印發微一卷　孫光祖撰。

古印考略一卷　夏一駒撰。

印文考略一卷　鞠履厚撰。

印章要論一卷　朱簡撰。

敦好堂論印一卷　吳先聲撰。

秋水園印說一卷　陳鍊撰。

折肱錄一卷　周濟撰。

摹印述一卷　陳澧撰。

印人傳三卷　周亮工撰。

飛鴻堂印人傳八卷　汪啟淑撰。

紫泥法一卷　汪鎬京撰。

　　以上藝術類篆刻之屬

松風閣琴譜二卷　抒懷操一卷　程雄撰。

操縵錄十卷　胡世安撰。

溪山琴況一卷　徐祺撰。

琴學心聲一卷　莊臻鳳撰。

琴談二卷　程允基撰。

琴學內篇一卷 外篇一卷　曹庭棟撰。

立雪齋琴譜二卷　汪紱撰。

與古齋琴譜四卷　祝鳳喈撰。

以六正五之齋琴學秘譜六卷　孫寶撰。

自遠堂琴譜十二卷　吳灯撰。

琴學正聲六卷　沈琯撰。

琴旨補正一卷　孫長源撰。

琴譜合璧十八卷　何素繙譯。

弦歌古樂譜一卷　簫譜一卷　任兆麟撰。

操縵卮言一卷　梅毅成撰。

　　以上藝術類音樂之屬

奕妙一卷　梁魏今、程蘭如、施襄夏、范世勳撰。

奕理指歸三卷　施襄夏撰。

桃花泉棋譜二卷　范世勳撰。

投壺考原一卷　丁晏撰。

　　以上藝術類雜技之屬

譜録類

西清古鑑四十卷　乾隆十四年，梁詩正等奉敕撰。

西清續鑑二十卷　附録一卷　乾隆五十八年，王杰等奉敕撰。

西清硯譜二十四卷　乾隆四十三年，于敏中等奉敕撰。

焦山古鼎考一卷　王士禄撰。

漢甘泉宮瓦記一卷　林佶撰。

保母磚跋尾一卷 高士奇撰。

宣爐歌注一卷 冒襄撰。

紀聽松庵竹爐始末一卷 鄒炳泰撰。

玉紀一卷 陳性撰。

古玉圖録一卷 瞿中溶撰。

古玉圖考一卷 吳大澂撰。

瓊居譜三卷 姜紹書撰。

怪石贊一卷 宋犖撰。

觀石録一卷 高兆撰。

觀石後録一卷 毛奇齡撰。

石譜一卷 諸九鼎撰。

怪石録一卷 沈心撰。

石畫記一卷 阮元撰。

黃山松石譜一卷 閔麟嗣撰。

水坑石記一卷 錢朝鼎撰。

端溪硯史三卷 吳蘭修撰。

說硯一卷 朱彝尊撰。

硯録一卷 曹溶撰。

硯林一卷 余懷撰。

硯小史四卷 朱棟撰。

寶研堂硯辨一卷 何傳瑤撰。

端溪硯譜記一卷 袁樹撰。

淄硯録一卷 盛百二撰。

漫堂墨品一卷 宋犖撰。

雪堂墨品一卷 張二熙撰。

曹氏墨林二卷 曹素功撰。

筆史一卷 梁同書撰。

金粟箋説一卷　張燕昌撰。

文房四譜四卷　倪濤撰。

文房肆考圖説八卷　唐秉鈞撰。

筆墨紙硯譜一卷　不著撰人氏名。

浮梁陶政志一卷　吳允嘉撰。

景德鎮陶録四卷　藍浦撰。

陶説六卷　朱琰撰。

窰器説一卷　程哲撰。

琉璃志一卷　孫廷銓撰。

楊羨茗壺系二卷　吳騫撰。

繡譜一卷　陳丁佩撰。

杖扇新録一卷　王廷鼎撰。

川扇記一卷　謝鳴篁撰。

羽扇譜一卷　張燕昌撰。

湖船録一卷　厲鶚撰。

續湖船録二卷　丁午撰。

骨董志十二卷　李調元撰。

　　以上譜録類器物之屬

續茶經三卷　附録一卷　陸廷燦撰。

茶史二卷　劉源長撰。

茶史補一卷　余懷撰。

岕茶彙鈔一卷　冒襄撰。

洞山岕茶系一卷　周高起撰。

飯有十二合説一卷　張英撰。

酒部彙考十八卷　不著撰人氏名。

酒社芻言一卷　黃周星撰。

南村觴政一卷 　張惣撰。

醼略四卷 　趙信撰。

居常飲饌録一卷 　曹寅撰。

豆區八友傳一卷 　王蓍撰。

養小録一卷 　顧仲撰。

隨息居飲食譜七卷 　王士雄撰。

隨園食單一卷 　袁枚撰。

香乘二十八卷 　周嘉冑撰。

非煙香法一卷 　董説撰。

煙譜一卷 　張燿撰。

勇盧間詰一卷 　趙之謙撰。

　　　以上譜録類食用之屬

廣羣芳譜一百卷 　康熙四十七年，汪灝等奉敕撰。

植物名實圖考三十八卷 　吳其濬撰。

尋花日記一卷 　歸莊撰。

倦圃蒔植記三卷 　曹溶撰。

北野抱甕録一卷 　高士奇撰。

花部農談一卷 　焦循撰。

種烏桕樹圖説一卷 　吳壽康撰。

竹譜一卷 　陳鼎撰。

蘭言一卷 　冒襄撰。

藝蘭四説一卷 　杜文瀾撰。

蘭蕙原説一卷 　徐藥湖撰。

青在堂菊譜一卷 　不著撰人氏名。

菊説一卷 　計楠撰。

藝菊須知一卷 　顧禄撰。

藝菊志八卷　_{陸廷燦撰。}

東籬中正一卷　_{許兆熊撰。}

洋菊譜一卷　_{鄒一桂撰。}

亳州牡丹述一卷　_{鈕琇撰。}

曹州牡丹譜一卷　_{余鵬年撰。}

茶花譜三卷　_{不著撰人氏名。}

鳳仙譜一卷　_{趙學敏撰。}

徐園秋花譜一卷　_{吳儀一撰。}

箋卉一卷　_{吳崶撰。}

苔譜六卷　_{汪憲撰。}

嶺南荔支譜六卷　_{吳應達撰。}

荔支譜一卷　_{陳鼎撰。}

荔譜一卷　_{陳寶國撰。}

賴園橘記一卷　_{譚瑩撰。}

檇李譜一卷　_{王逢辰撰。}

水密桃譜一卷　_{褚華撰。}

吳蕈譜一卷　_{吳崶撰。}

甘藷譜一卷　_{陸燿撰。}

參譜一卷　_{黃叔燦撰。}

人葠譜一卷　_{陸烜撰。}

龍經一卷　_{王晫撰。}

談虎一卷　_{趙彪詔撰。}

貓乘一卷　_{王初桐撰。}

貓苑一卷　_{黃漢撰。}

燕子春秋一卷　_{郝懿行撰。}

烏衣香牒四卷　_{陳邦彥撰。}

畫眉筆談一卷　_{陳均撰。}

鶺鴒譜一卷　陳石麟撰。

異魚圖贊箋四卷　異魚圖贊補三卷　閏集一卷　胡世安撰。

記海錯一卷　郝懿行撰。

晴川蟹錄四卷　後蟹錄四卷　孫之騄撰。

蛇説一卷　趙彪詒撰。

春駒小譜二卷　陳邦彥撰。

四蟲備覽二十三卷　倪廷摸撰。

蠕範八卷　李元撰。

　　以上譜錄類植物動物之屬

雜家類

墨子經説解二卷　張惠言撰。

墨子注十五卷　目錄一卷　畢沅撰。

墨子間詁十五卷　目錄一卷　附錄後語二卷　孫詒讓撰。

呂子校補二卷　梁玉繩撰。

呂子校補獻疑一卷　蔡雲撰。

呂氏春秋正誤一卷　陳昌齊撰。

呂氏春秋雜記十卷　徐時棟撰。

淮南天文訓補注二卷　錢塘撰。

淮南校勘記一卷　顧廣圻撰。

淮南子補校一卷　劉台拱撰。

淮南子正誤十二卷　陳昌齊撰。

淮南子校勘記一卷　汪文臺撰。

淮南許注異同詁六卷　補遺一卷　陶方琦撰。

淮南天文訓存疑一卷　羅士琳撰。

顏氏家訓補注七卷　補遺一卷　附錄一卷　趙曦明撰。

息齋藏書十二卷　裴希度撰。

激書二卷　賀貽孫撰。

衡書三卷　唐大陶撰。

格物問答三卷　螺峯説録一卷　聖學真語二卷　毛先舒撰。

潛齋處語一卷　蒙訓一卷　楊慶撰。

理學就正言十卷　祝文彦撰。

聖學大成不分卷　孫鍾瑞撰。

拳拳録二卷　顏巷録一卷　晚聞篇一卷　李衷燦撰。

萬世太平書十卷　勞大輿撰。

龍巖子集十二卷　李丕則撰。

唾居隨録四卷　張貞生撰。

圖書秘典一隅解一卷　張沐撰。

五倫懿範八卷　不著撰人氏名。

天方典禮擇要解二十卷　劉智撰。

進善集不分卷　張天柱撰。

方齋補莊不分卷　方正瑗撰。

公餘筆記二卷　張文炳撰。

苔西問答一卷　吳學孔撰。

續籤山房集略十八卷　鄭道明撰。

聖學逢源録十八卷　金維嘉撰。

聖門釋非録五卷^①　毛奇齡撰。

聖門辨誣一卷　皇甫焞撰。

書林揚觶一卷　漢學商兑六卷　方東樹撰。

梁孝元帝 金樓子六卷　乾隆時敕輯。

———————

①　“釋”原作“擇”，據《清史稿藝文志及補編》、《西河合集》所題書名改。

許叔重　淮南子注一卷　孫馮翼、蔣曰豫輯。

淮南萬畢術一卷　丁晏輯。

周由佘書一卷

漢唐蒙　博物記一卷

漢伏無忌　伏侯古今注一卷

魏蔣濟　蔣子萬機論一卷

魏杜恕　篤論一卷

晉鄒氏　鄒子一卷

吳諸葛恪　諸葛子一卷

吳張儼　默記一卷

吳裴玄　裴氏新言一卷

吳劉廙　新義一卷

吳秦菁　秦子一卷

晉張顯　析言論一卷　古今訓一卷

晉楊偉　時務論一卷

晉郭義恭　廣志二卷

晉陸機　陸氏要覽一卷

宋范泰　古今善言一卷

宋江遂　文釋一卷

梁劉杳　要雅一卷

沈約　俗説一卷　以上馬國翰輯。

　　以上雜家類雜學之屬

宋王應麟　困學紀聞注二十卷　翁元圻輯。

困學蒙證六卷　宋薇卿撰。

日知錄三十二卷　日知錄之餘四卷　顧炎武撰。

日知錄集釋三十二卷　刊誤二卷　續刊誤二卷　黃汝成撰。

識小録一卷　王夫之撰。

義府二卷　黄生撰。

羣書疑辨十二卷　萬斯同撰。

藝林彙考二十四卷　沈自南撰。

潛邱劄記六卷　閻若璩撰。

湛園札記四卷　姜宸英撰。

白田雜著八卷　讀書記疑十六卷　王懋竑撰。

義門讀書記五十八卷　何焯撰。

樵香小記二卷　何琇撰。

管城碩記三十卷　徐文靖撰。

訂譌雜録十卷　胡鳴玉撰。

識小編二卷　董豐垣撰。

修潔齋閒筆四卷　劉堅撰。

天香樓偶得十卷　虞兆漋撰。

陔餘叢考四十三卷　趙翼撰。

言鯖二卷　呂種玉撰。

事物考辨六十二卷　周象明撰。

天禄識餘二卷　高士奇撰。

畏壘筆記四卷　徐昂發撰。

古今釋疑十八卷　方中履撰。

螺江日記八卷　續記四卷　張文虎撰。

知新録三十二卷　王棠撰。

西圃蒙辨三十二卷　田同之編。

經史問五卷　郭植撰。

掌録二卷　陳祖范撰。

讀書記聞十卷　陳景雲撰。

讀書筆記六卷　劄記四卷　尹會一撰。

矩齋雜記一卷　施閏章撰。

經傳繹義五十卷　陳煒撰。

羣書札記十六卷　朱亦棟撰。

松崖筆記三卷　九曜齋筆記三卷　惠棟撰。

韓門綴學五卷　續編一卷　談書錄一卷　汪師韓撰。

經史問答十卷　全祖望撰。

南江劄記四卷　邵晉涵撰。

羣書拾補三十七卷　鍾山札記四卷　龍城札記四卷　盧文弨撰。

十駕齋養新錄二十卷　餘錄三卷　竹汀日記鈔三卷　恆言錄
　一卷　潛研堂答問十卷　錢大昕撰。

蛾術編一百卷　王鳴盛撰。

曉讀書齋雜錄初錄二卷　二錄二卷　三錄二卷　四錄二卷　洪
　亮吉撰。

讀書雜志八十卷　王念孫撰。

考古錄四卷　鍾褱撰。

清白士集二十八卷　瞥記七卷　梁玉繩撰。

清白士集校補四卷　蔡雲撰。

庭立紀聞四卷　梁學昌撰。

援鶉堂隨筆四十卷　姚範撰。

漑亭述古錄二卷　邇言六卷　錢塘撰。①

目耕貼三十卷　馬國翰撰。

曬書堂筆記二卷　郝懿行撰。

讀書脞錄七卷　續編四卷　孫志祖撰。

惜抱軒筆記八卷　姚鼐撰。

---

① 《清史稿藝文志及補編》著錄《漑亭述古錄》二卷，錢塘撰；《邇言》六卷，錢大昭
撰。考《玉雨堂叢書》本《邇言》六卷確題錢大昭撰，當是正。

札樸十卷　桂馥撰。

拜經日記十二卷　臧庸撰。

大雲山房雜記一卷　惲敬撰。

寄傲軒讀書隨筆十卷　續筆六卷　三筆六卷　沈赤然撰。

柚堂筆談四卷　續筆談八卷　盛百二撰。

南野堂筆記十二卷　續筆記五卷　吳文溥撰。

筠軒讀書叢録二十四卷　台州札記十二卷　洪頤煊撰。

四寸學六卷　張雲璈撰。

經史管窺六卷　蕭曇撰。

邃雅堂學古録七卷　姚文田撰。

小學盦遺書四卷　錢馥撰。

隨園隨筆二十八卷　袁枚撰。

蠡勺編四十卷　凌揚藻撰。

愈愚録六卷　劉寶楠撰。

合肥學舍札記十二卷　陸繼輅撰。

通俗編三十八卷　翟灝撰。

丙辰雜記一卷　章學誠撰。

鄭堂札記五卷　周中孚撰。

借閒隨筆一卷　汪遠孫撰。

攉對八卷　許桂林撰。

菉友蟻術編二卷　菉友叢説一卷　王筠撰。

劉氏遺書八卷　劉台拱撰。

讀書小記二卷　焦廷琥撰。

古書拾遺四卷　開卷偶得十卷　林春溥撰。

寶甓齋札記不分卷　趙坦撰。

過庭録十六卷　宋翔鳳撰。

炳燭編四卷　李賡芸撰。

讀書雜記一卷 隨筆一卷　周鎬撰。

質疑删存三卷　張宗泰撰。

經史質疑録二卷　張聰咸撰。

潘瀾筆記一卷　彭兆蓀撰。

寒秀草堂筆記四卷　姚衡撰。

癡學八卷　黃本驥撰。

經史答問四卷　朱駿聲撰。

卍齋瑣録十卷　讐林冗筆四卷　勦説四卷　李調元撰。

讀書雜識十二卷　勞格撰。

多識録四卷　練恕撰。

説緯二卷　王崧撰。

癸巳類稿十五卷　癸巳存稿十五卷　俞正燮撰。

斠補隅録不分卷　蔣光煦撰。

讀書隨筆一卷　吳德旋撰。

落颿樓初稿四卷　沈垚撰。

窺豹集二卷　南湑楛語八卷　麗澂薈録十四卷　榕堂續録四卷　蔣超伯撰。

吳項儒遺書一卷　吳卓信撰。

遜志齋雜鈔十卷　吳翌鳳撰。

研六室雜箸不分卷　胡培翬撰。

蕙櫋雜記一卷　嚴元照撰。

玉井山館筆記一卷　許宗衡撰。

武陵山人雜著一卷　顧觀光撰。

讀書偶識八卷　鄒漢勛撰。

禮耕堂叢説一卷　施國祁撰。

求闕齋讀書録四卷　日記類鈔二卷　曾國藩撰。

有不爲齋隨筆十卷　光律元撰。

銅熨斗齋隨筆八卷　瑟榭叢談二卷　交翠軒筆記四卷 _{沈濤撰。}

鈕匪石日記一卷 _{鈕樹玉撰。}

讀書偶得一卷 _{吳養原撰。}

諸子平議三十五卷　俞樓雜纂五十卷　曲園雜纂五十卷　古
　書疑義舉例七卷　讀書餘録二卷　湖樓筆談七卷　春在堂
　隨筆十卷　九九消夏録十四卷 _{俞樾撰。}

讀書雜釋十四卷 _{徐鼒撰。}

羣書校補一百卷 _{陸心源撰。}

絅思堂答問一卷 _{成蓉鏡撰。}

無邪堂答問五卷 _{朱一新撰。}

學古堂日記不分卷 _{雷浚撰。}

思益堂日札二十卷 _{周壽昌撰。}

臨川答問一卷 _{劉壽曾撰。}

札迻十二卷 _{孫詒讓撰。}

舒藝室隨筆六卷　續筆一卷　餘筆三卷 _{張文虎撰。}

復堂日記八卷 _{譚獻撰。}

悔翁筆記六卷 _{汪士鐸撰。}

東父筆記一卷　雜記一卷 _{鄭杲撰。}

子通二十卷 _{周悦讓撰。}

東塾讀書記二十一卷 _{陳澧撰。}

雲山讀書記六卷　藻川堂談藝四卷 _{鄧繹撰。}

橫陽札記十卷 _{吳承志撰。}

唐蘇鶚　蘇氏演義二卷

宋張淏　雲谷雜記四卷

宋袁文　甕牖閒評八卷

宋邢凱　坦齋通編一卷

宋葉大慶　攷古質疑六卷

宋陳昉　潁川語小二卷

不著撰人　愛日叢鈔五卷　以上乾隆時敕輯。

　　以上雜家類雜考之屬

亭林雜録一卷　顧炎武撰。

俟解一卷　噩夢一卷　黃書一卷　王夫之撰。

棗林雜俎不分卷　談遷撰。

春明夢餘録七十卷　孫承澤撰。

書影十卷　周亮工撰。

讀書偶然録十二卷　程正揆撰。

見聞記憶録五卷　余國楨撰。

冬夜箋記一卷　王崇簡撰。

樗林三筆五卷　魏裔介撰。

雕邱雜録十八卷　梁清遠撰。

居易録三十四卷　池北偶談二十六卷　香祖筆記十二卷　古
　夫于亭雜録六卷　分甘餘話四卷　王士禎撰。

蒿菴閒話二卷　張爾岐撰。

聽潮居存業十卷　原良撰。

匡林二卷　毛先舒撰。

庸言録不分卷　姚際恒撰。

筠廊偶筆二卷　二筆二卷　宋犖撰。

廣陽雜記五卷　劉獻廷撰。

山志六卷　王弘撰撰。

尚論持平二卷　析疑待正二卷　事文標異一卷　陸次雲撰。

在園雜志四卷　劉廷璣撰。

東山草堂邇言六卷　邱嘉穗撰。

經史慧解六卷　蔡含生撰。

此木軒雜著八卷　焦袁熹撰。

熙朝新語十六卷　余奎撰。

嶺西雜録二卷　後海堂雜録二卷　王孝詠撰。

南村隨筆六卷　陸廷燦撰。

枝語二卷　孫之騄撰。

諤崖脞說五卷　章楹撰。

然疑錄六卷　顧奎光撰。

瀟湘聽雨錄八卷　江昱撰。

人海記二卷　查慎行撰。

艮齋雜說十卷　尤侗撰。

仁恕堂筆記一卷　黎士宏撰。

客舍新聞一卷　彭孫貽撰。

聰訓齋語四卷　張英撰。

澄懷園語四卷　張廷玉撰。

古懽堂雜著八卷　田雯撰。

據鞍錄一卷　楊應琚撰。

日貫齋塗說一卷　梁同書撰。

玉几山房聽雨錄一卷　陳撰撰。

寒燈絮語一卷　汪憲撰。

春草園小記一卷　趙昱撰。

桃溪客語五卷　尖陽叢筆十卷　吳騫撰。

簷曝雜記六卷　續一卷　趙翼撰。

定香亭筆談四卷　小滄浪筆談四卷　阮元撰。

瀛舟筆談十二卷　阮亨撰。

小琅嬛叢記四卷　阮福撰。

西征隨筆二卷　王景祺撰。

楚南隨筆一卷　吳省蘭撰。

匏園掌録一卷　楊夑生撰。

天山客話一卷　外家紀聞一卷　洪亮吉撰。

柳南隨筆六卷　續筆四卷　王應奎撰。

雞窗叢話一卷　蔡澄撰。

退餘叢話二卷　鮑倚雲撰。

瓜棚避暑録一卷　誠是録一卷　廣愛録一卷　孟超然撰。

茶餘客話十二卷　阮葵生撰。

蕉窗日記二卷　王豫撰。

莜田雜録二卷　瑣記二卷　綴語二卷　桑梓外志二卷　涉世雜談一卷　大怪録一卷　聞見雜記四卷　知味録二卷　崔述撰。

天慵菴筆記二卷　方士庶撰。

水曹清暇録十六卷　焠掌録二卷　汪啟淑撰。

橋西雜記一卷　葉名灃撰。

思補齋筆記八卷　潘世恩撰。

淮南雜識四卷　聞益撰。

退菴隨筆二十二卷　南省公餘録二卷　梁章鉅撰。

無事爲福齋隨筆二卷　韓泰華撰。

憶書六卷　焦循撰。

竹葉亭雜記八卷　姚元之撰。

爨餘叢話四卷　樗園消夏録三卷　郭麐撰。

向果微言三卷　方東樹撰。

石亭紀事二卷　丁晏撰。

吹網録六卷　鷗波漁話六卷　葉廷琯撰。

履園叢話二十四卷　錢泳撰。

蘿藦亭筆記八卷　喬松年撰。

蕉軒隨録十二卷　夢園叢説內篇八卷　<small>方濬師撰。</small>

轉徙餘生記一卷　<small>方濬頤撰。</small>

維摩室遺訓四卷　<small>莊受祺撰。</small>

古南餘話五卷　湘舟漫録五卷　<small>舒夢蘭撰。</small>

藝概六卷　<small>劉熙載撰。</small>

浮邱子十二卷　<small>湯鵬撰。</small>

冷廬雜識八卷　甦廬偶筆四卷　<small>陸以湉撰。</small>

桐陰清話八卷　<small>倪鴻撰。</small>

庸閒齋筆記十二卷　<small>陳其元撰。</small>

丹泉海島録四卷　<small>徐景福撰。</small>

寄龕甲志四卷　乙志四卷　丙志四卷　丁志四卷　<small>孫德祖撰。</small>

多暇録二卷　<small>程庭鷺撰。</small>

雞澤脞録一卷　迎鸞筆記二卷　<small>程鴻詔撰。</small>

天壤閣雜記一卷　<small>王懿榮撰。</small>

養和軒隨筆一卷　<small>陳作霖撰。</small>

宋呂希哲　呂氏雜記二卷

宋宇文紹奕　石林燕語考異十卷

宋吳箕　常談一卷

宋謝采伯　密齋筆記五卷 續筆記一卷

宋鄭至道　琴堂諭俗編二卷

元李冶　敬齋古今黈八卷

元李翀　日聞録一卷　<small>以上乾隆時敕輯。</small>

　　以上雜家類雜説之屬

韻石齋筆談二卷　<small>姜紹書撰。</small>

七頌堂識小録一卷　<small>劉體仁撰。</small>

研山齋雜記四卷 不著撰人氏名。

老老恆言五卷 曹庭棟撰。

初學藝引二十三卷 李士學撰。

博物要覽十二卷 谷應泰撰。

秋園雜佩一卷 陳貞慧撰。

物類相感續志一卷　補遺一卷 王暐撰。

心齋雜俎二卷 張潮撰。

清閑供一卷 程羽文撰。

怡情小録一卷 馬大年撰。

陸地仙經一卷 馬謹撰。

游戲録一卷 程景沂撰。

西湖器具録一卷 荓仲方撰。

幽夢影一卷 張潮撰。

幽夢續影一卷 朱錫綬授。

前塵夢影録二卷 徐康撰。

　　　以上雜家類雜品之屬

悦心集五卷 世宗御編。

唐馬總意林注五卷　逸文一卷 周廣業撰。

元明事類鈔四十卷 姚之駰撰。

鈍吟雜録十卷 馮班撰。

懿行編八卷 李瀅撰。

倫史五十卷 成克鞏撰。

雅説集十九卷 魏裔介撰。

嗜退菴語存十卷 嚴有穀撰。

勝飲編一卷 郎廷槐撰。

經世名言十二卷 蘇宏祖撰。

寄園寄所寄十二卷　趙吉士撰。

四本堂右編二十四卷　朱潮遠撰。

敦行錄二卷　張鵬翮撰。

仕學要咸五卷　張圻編。

人道譜不分卷　閔忠撰。

硯北雜錄不分卷　黃叔琳編。

查浦輯聞二卷　查嗣瑮撰。

會心錄四卷　孔尚任撰。

權衡一書四十一卷　王植撰。

多識類編二卷　曹昌言撰。

養知錄八卷　紀昭撰。

閑家類纂二卷　彭紹謙撰。

物詮八卷　汪紱撰。

宋稗類鈔八卷　潘永因編。

古愚老人消夏錄六十二卷　汪汲撰。

茶香室叢鈔二十三卷　續鈔二十五卷　三鈔二十九卷　四鈔
　二十九卷　俞樾撰。

元張光祖　言行龜鑑八卷　乾隆時敕輯。

意林補闕二卷　李富孫輯。

　　以上雜家類雜纂之屬

類書類

淵鑒類函四百五十卷　康熙四十九年,張英等奉敕撰。

駢字類編二百四十卷　康熙五十八年,吳士玉等奉敕撰。

分類字錦六十四卷　康熙六十年,河焯等奉敕撰。

子史精華一百六卷　康熙六十年，吳士玉等奉敕撰。

古今圖書集成一萬卷　雍正三年，蔣廷錫等奉敕撰。

佩文韻府四百四十三卷　康熙四十三年，張玉書等奉敕撰。

佩文韻府拾遺一百十二卷　康熙五十九年，張廷玉等奉敕撰。

編珠補遺二卷　續編珠二卷　高士奇撰。

鑒古録十六卷　沈廷芳撰。

考古類編十二卷　柴紹炳撰。

教養全書四十一卷　應撝謙撰。

政典彙編八卷　王芝藻撰。

政譜十二卷　朱粟夷撰。

文獻通考節貫十卷　周宗渡撰。

考古略八卷　考古原始六卷　王文清撰。

説略三十卷　顧啟元撰。

同書四卷　周亮工撰。

古事苑十二卷　鄧志謨撰。

同人傳四卷　陳祥裔撰。

古事比五十三卷　方中德撰。

孿史四十八卷　王希廉撰。

五經類編二十八卷　周世樟撰。

三才彙編四卷　陳在升撰。

三才藻異三十三卷　屠粹忠撰。

讀書記數略五十四卷　宮夢仁撰。

格致鏡原一百卷　陳元龍撰。

花木鳥獸集類三卷　吳寶芝撰。

歷朝人物氏族會編十卷　尹敏撰。

氏族箋釋八卷　熊峻運撰。

姓氏譜六卷　類纂五十卷　李繩遠撰。

姓氏尋源十卷　姓辨誤一卷　遼金元三史姓録一卷　張澍撰。

姓氏解紛十卷　避諱録五卷　黄本驥撰。

百家姓韻語三編一卷　丁晏編。

千家姓文一卷　崔冕撰。

代北姓譜一卷　遼金元姓譜一卷　周春撰。

希姓補五卷　單隆周撰。

齊名紀數十二卷　王承烈撰。

奇字名十二卷　李調元撰。

別號録九卷　葛萬里撰。

廿四史諱略一卷　周榘撰。

國志蒙拾二卷　郭麐撰。

史姓韻編六十四卷　九史同姓名略七十二卷　補遺一卷　三

史同名録四十卷　汪輝祖撰。

同姓名録八卷　王廷燦撰。

歷代同姓名録二十三卷　劉長華撰。

親屬記二卷　鄭珍撰。

稱謂録三十二卷　梁章鉅撰。

異號類編二十卷　雙名録一卷　史夢蘭撰。

人壽金鑑二十二卷　程得齡撰。

古今記林二十九卷　汪士漢撰。

類林新詠三十六卷　姚之駰撰。

喩林一葉二十四卷　王蘇撰。

廣事類賦四十卷　華希閔撰。

十三經注疏錦字四卷　方言藻二卷　李調元撰。

連文釋義一卷　王言撰。

清河偶鈔四卷　駢字分義二卷　程際盛撰。

漢書蒙拾一卷　後漢書蒙拾一卷　文選課虛没四卷　杭世駿撰。

唐句分韻初集四卷　二集四卷　續集二卷　四集五卷　馬瀚撰。

杜韓集韻三卷　汪文柏撰。

韻粹一百七卷　朱彝撰。

三體摭韻十二卷　朱昆田撰。

唐詩金粉十卷　沈炳震撰。

月滿樓甄藻録一卷　顧宗泰撰。

梁孝元帝　古今同姓名録二卷

唐林寶　元和姓纂十八卷

宋馬永易　實賓録十四卷

宋鄧名世　古今姓氏書辨證四十卷

宋唐仲友　帝王經世圖譜十六卷　以上乾隆時敕輯。

小说類

山海經廣注十八卷　吳任臣撰。

山海經存九卷　汪紱撰。

山海經箋疏十八卷　圖讚一卷　訂譌一卷　郝懿行撰。

讀山海經一卷　俞樾撰。

穆天子傳補正六卷　陳逢衡撰。

穆天子傳注疏六卷　檀萃撰。

謠觚一卷　顧炎武撰。

漢世説十四卷　章撫功撰。

世説補二十卷　黄汝琳撰。

今世説八卷　王晫撰。

明語林十四卷　吳肅公撰。

隴蜀餘聞一卷　皇華紀聞四卷　王士禛撰。

矩齋雜記二卷 施閏章撰。

玉堂薈記一卷 楊士聰撰。

客途偶記一卷 鄭與僑撰。

玉劍尊聞十卷 梁維樞撰。

潛園集錄十六卷 屠倬撰。

關隴輿中偶憶編一卷 張祥河撰。

客話三卷　劇話二卷　弄話二卷 李調元撰。

兩般秋雨盦隨筆八卷 梁紹壬撰。

藤陰雜記十二卷 戴璐撰。

歸田瑣記八卷　浪迹叢談十一卷　續八卷 梁章鉅撰。

説鈴一卷 汪琬撰。

觚賸八卷　續編四卷 鈕琇撰。

堅瓠集六十六卷 褚人穫撰。

虞初新志二十卷 張潮撰。

虞初續志十二卷 鄭澍若撰。

史異纂十六卷　有明異叢十卷 傅燮詷撰。

續廣博物志十六卷 徐壽基撰。

閱微草堂筆記二十四卷 紀昀撰。

池上草堂筆記八卷 梁恭辰撰。

筆談二卷 史夢蘭撰。

右台仙館筆記十六卷 俞樾撰。

奩史一百卷 王初桐撰。

影梅庵憶語一卷 冒襄撰。

西清散記四卷 史震林撰。

板橋雜記三卷 余懷撰。

古笑史三十四卷 李漁撰。

宋吳淑　江淮異人録二卷

宋張洎　賈氏談録一卷

宋范鎮　東齋記事六卷

宋高晦叟　珍席放談二卷

宋王讜　唐語林八卷

宋朱彧　萍洲可談三卷

宋曾慥　高齋漫録一卷

宋張知甫　張氏可書一卷①

宋陳長方　步里客談二卷

不著撰人　東南紀聞三卷　以上乾隆時敕輯。

青史子一卷

周宋鈃　宋子一卷

魏邯鄲淳　笑林一卷

晉裴啟　裴子語林二卷

晉郭澄之　郭子一卷

郭氏　玄中記一卷

宋東陽無疑　齊諧記一卷

隋杜寶　水飾一卷　以上馬國翰輯。

釋家類

揀魔辨異録八卷　世宗御撰。

語録十九卷　世宗御撰。

南宋元明僧寶傳十五卷　釋自融撰。

五葉弘傳二十三卷　釋智安撰。

---

① "書"原作"録"，據《清史稿藝文志及補編》、《四庫全書》本書所題書名改。

重定教乘法數十二卷　_{釋起海、通理、廣治同撰。}

宗統編年三十二卷　_{釋記蔭撰。}

摩尼燭坤集要七十二卷　_{尼得一撰。}

宗門頌古摘珠二十八卷　_{釋净符撰。}

洞宗會選二十六卷　_{釋智考撰。}

現果隨録一卷　_{釋戒顯撰。}

正宏集一卷　_{釋本果撰。}

萬法歸心録三卷　_{釋超溟撰。}

萬善先資四卷^①　欲海探源三卷　_{周思仁撰。}

續指月録二十卷　尊宿集一卷　_{聶光撰。}

治心編一卷　_{李菜撰。}

如幻集四卷　_{釋心源撰。}

歸元鏡二卷　_{釋智達撰。}

揞黑豆集八卷　_{平聖臺撰。}

種蓮集一卷　_{陳本仁撰。}

净土聖賢録九卷 續録四卷　善女人傳二卷　_{彭際清撰。}

佛爾雅八卷　_{周春撰。}

釋雅一卷　梵言一卷　_{李調元撰。}

楞嚴經蒙鈔十卷　心經略疏小鈔二卷　金剛經疏記懸判一卷　疏記會鈔一卷　金剛經論釋懸判一卷　偈記會鈔一卷　_{錢謙益撰。}

金剛經注一卷　多心經注一卷　_{石成金撰。}

圓覺經析義疏四卷　_{釋通理撰。}

金剛般若波羅蜜經解注一卷　附　金剛經諸衷心經淺説　_{王定柱撰。}

---

① "先"原作"光"，據《清史稿藝文志及補編》、《安全士書》本書所題書各改。

閱藏隨筆二卷　續筆一卷　釋元度撰。

心經集注一卷　徐澤醇撰。

金剛經注二卷　俞樾撰。

浮石禪師語錄十卷　釋行浚等編。

林野奇禪師語錄八卷　釋行謐等編。

龍池萬如禪師後錄一卷　釋行果、超英同編。

憨予暹禪師語錄六卷　釋法雲、廣學同編。

徑山費隱禪師語錄一卷　釋行和編。

具德禪師語錄二卷　釋濟義編。

普濟玉林禪師語錄十二卷　附　年譜二卷　釋音諱編。

岫峯憲禪師語錄五卷　釋智質編。

芥子彌禪師語錄二卷　釋明成等編。

信中符禪師偶言二卷　釋净符撰。

南山天愚寶禪師語錄四卷　釋智普編。

雄聖惟極禪師語錄三卷　釋超越編。

東悟本禪師語錄四卷　釋通界編。

丈雲語錄一卷　釋澈涸編。

徹悟禪師遺稿二卷　釋了亮編。

夢東禪師遺集二卷　釋際醒撰。

昌啟順禪師語錄二卷　釋明成等編。

普照禪師文錄一卷　附　净業記一卷　釋顯振等編。

道家類

御注道德經二卷　順治十三年，世祖御撰。

陰符經注一卷　李光地撰。

陰符經注一卷　徐大椿撰。

陰符經本義一卷　董德甯撰。

讀陰符經一卷　汪紱撰。

陰符經注一卷　宋葆淳撰。

陰符經發隱一卷　楊文會撰。

老子衍一卷　王夫之撰。

老子説略二卷　張爾岐撰。

老子道德經考異二卷　畢沅撰。

老子參注四卷　倪元坦撰。

老子解一卷　老子別録一卷　非老一卷　吳鼐撰。

老子章義二卷　姚鼐撰。

老子約説四卷　紀大奎撰。

道德經編注二卷　胡與高撰。

讀道德經私記二卷　汪縉撰。

道德經懸解二卷　黄元御撰。

道德經注二卷　徐大椿撰。

道德經臆注二卷　王定柱撰。

道德寶章翼二卷　金道果撰。

道德經發隱一卷　楊文會撰。

列子釋文二卷　考異一卷　任大椿撰。

列子辨二卷　不著撰人氏名。

沖虛經發隱一卷　楊文會撰。

莊子解三十三卷　莊子通一卷　王夫之撰。

莊詁不分卷　錢澄之撰。

莊子解三卷　吳世尚撰。

莊子因六卷　讀莊子法一卷　林雲銘撰。

莊子獨見三十三卷　胡文英撰。

莊子本義二卷　梅沖撰。

莊子解一卷　吳俊撰。

説莊三卷　韓泰青撰。

莊子集解八卷　王先謙撰。

莊子約解四卷　劉鳴典撰。

南華通七卷　孫家淦撰。

南華釋名一卷　金人瑞撰。

南華本義二卷　林仲懿撰。

南華經傳釋一卷　周金然撰。

南華簡鈔四卷　徐廷槐撰。

南華摸象記八卷　張世犖撰。

南華真經影史九卷　周拱辰撰。

南華通七卷　屈復撰。

南華經正義不分卷　陳壽昌撰。

南華經發隱一卷　楊文會撰。

列仙傳校正二卷　附　列仙讚一卷　閩秀王照圓撰。

參同契章句一卷　鼎符一卷　李光地撰。

讀參同契三卷　汪紱撰。

參同契注二卷　陳兆成撰。

參同契集注六卷　劉英龍撰。

古文周易參同契注八卷　袁仁林撰。

周易參同契集韻六卷　紀大奎撰。

參同契金隄大義三卷　許桂林撰。

參同契集注二卷　仇滄柱撰。

悟真篇集注五卷　仇知幾撰。

列仙通紀六十卷　薛大訓撰。

仙史八卷　王建章撰。

金仙證論一卷　柳華陽撰。

萬壽仙書四卷　<small>曹無極撰。</small>

果山修道居誌二卷　<small>葉鈙撰。</small>

金蓋心燈八卷　<small>鮑廷博撰。</small>

真詮二卷　<small>不著撰人氏名。</small>

得一參五七卷　<small>姜中貞撰。</small>

瓣香録一卷　<small>邵璞撰。</small>

質神録一卷　<small>彭兆升撰。</small>

太上老君說常清静經注一卷　<small>徐廷槐撰。</small>

黃庭經發微二卷　<small>董德宣撰。</small>

太上感應篇注二卷　<small>惠棟撰。</small>

感應篇讚義一卷　<small>俞樾撰。</small>

宋杜道堅　文子纘義十二卷　<small>乾隆時敕輯。</small>

抱朴子内篇佚文一卷　外篇佚文一卷　<small>顧廣圻、嚴可均同輯。</small>

商伊尹書一卷

周辛甲書一卷

魏公子　牟子一卷

田駢子一卷

楚老萊子一卷

黔婁子一卷

鄭長者書一卷

魏任嘏　任子道論一卷

關朗　洞極真經一卷

吳唐滂　唐子一卷

晉蘇彥　蘇子一卷

陸雲　陸子一卷

杜夷　杜子幽求新書一卷

孫綽　孫子一卷

苻朗　苻子一卷

齊張融　少子一卷

顧歡　夷夏論一卷　以上馬國翰輯。

集部

集部五類：一曰楚詞類，二曰別集類，三曰總集類，四曰詩文評類，五曰詞曲類。

楚詞類

補繪離騷全圖二卷　蕭雲從原圖，乾隆四十七年奉敕補繪。

楚詞通釋十四卷　王夫之撰。

山帶閣注楚詞六卷　楚詞餘論二卷　楚詞說韻一卷　蔣驥撰。

楚詞燈四卷　林雲銘撰。

楚詞新注六卷　屈復撰。

楚詞疏八卷　吳世尚撰。

楚詞會真一卷　卿彬撰。

楚詞貫一卷　董國英撰。

楚詞章句七卷　劉飛鵬撰。

離騷圖一卷　蕭雲從圖並注。

離騷經注一卷　李光地撰。

離騷正義一卷　方苞撰。

離騷經解一卷　方楘如撰。

離騷解一卷　顧成天撰。

離騷箋二卷　龔景瀚撰。

離騷解一卷　謝濟世撰。

離騷辨一卷　朱冀撰。

離騷節解一卷　張德純撰。

離騷中正二卷 林仲懿撰。

離騷補注一卷 朱駿聲撰。

天問補注一卷 毛奇齡撰。

天問校正一卷 屈復撰。

九歌注一卷 李光地撰。

九歌解一卷 顧成天撰。

屈原賦注六卷　通釋二卷　音義三卷 戴震撰。

屈子生卒年月考一卷 陳暘撰。

楚詞人名考一卷 俞樾撰。

離騷草木疏辨證四卷 祝德麟撰。

楚詞辨韻一卷 陳昌齊撰。

楚詞韻讀一卷　宋賦韻讀一卷 江有誥撰。

離騷釋韻一卷 蔣曰豫撰。

屈子正音三卷 方績撰。

別集類

清聖祖文初集四十卷　二集五十卷　三集五十卷　四集三十六卷　避暑山莊詩二卷

世宗文集三十卷　悅心集二卷

高宗文初集三十卷　二集四十四卷　三集十六卷　詩初集四十八卷　二集一百卷　三集一百十二卷　四集一百十二卷　五集一百卷　餘集二十卷　樂善堂定本三十卷　全史詩二冊　全韻詩二冊　擬白居易樂府四冊　圓明園詩不分卷

仁宗文初集十卷　二集十四卷　餘集二卷　詩初集四十八卷　二集六十四卷　三集六十四卷　餘集六卷　味餘書屋全集定本四十卷　附　隨筆二卷　全史詩六十四卷

宣宗文集十卷　餘集六卷　詩集二十四卷　餘集十二卷　養正書屋全集定本四十卷

文宗文集二卷　詩集八卷

穆宗文集十卷　詩集六卷　諸王宗室詩文集已見本傳，不載。

魏曹植子建集銓評十卷　丁晏撰。

晉阮籍詠懷詩注四卷　蔣師瀹撰。

晉孫楚馮翌集發微四卷　于宗林撰。

晉陶潛詩彙注四卷　吳瞻泰撰。

陶詩箋五卷　邱嘉穗撰。

陶詩集注四卷　詹夔錫撰。

陶靖節集注十卷　陶澍撰。

陶詩附考一卷　方東樹撰。

周庾信開府集箋注十卷　吳兆宜撰。

庾子山集注十六卷　倪璠撰。

陳徐陵孝穆集箋注六卷　吳兆宜撰。

唐王勃子安集注二十五卷　蔣清翊撰。

駱賓王臨海集注十卷　陳熙晉撰。

李白詩集注三十六卷　王琦撰。

杜甫工部集注二十卷　錢謙益撰。

杜詩輯注二十三卷　朱鶴齡撰。

杜詩詳注二十五卷　附編二卷　仇兆鰲撰。

杜詩鏡銓二十卷　楊倫撰。

杜詩注解二十卷　張溍撰。

杜詩注釋二十四卷　許寶善撰。

杜工部詩疏解二卷　顧施禎撰。

知本堂讀杜二十四卷　汪灝撰。

杜詩提要十四卷　吳瞻泰撰。

杜詩説十二卷　黃生撰。

杜詩疏八卷　紀容舒撰。

杜詩會粹二十四卷　張遠撰。

杜詩闡三十三卷　盧元昌撰。

杜詩論五十六卷　吳見思撰。

杜詩注解十二卷　顧宏撰。

杜詩集説二十卷　江浩然撰。

杜詩譜釋二卷　毛張健撰。

歲寒堂讀杜二十卷　范輦雲撰。

讀杜心解六卷　浦起龍撰。

杜詩通解四卷　李文煒撰。

杜工部詩注五卷　陳之壎撰。

杜詩直解五卷　范廷謀撰。

王維右丞集注二十八卷　附錄二卷　趙殿成撰。

白香山詩集四十卷　附年譜一卷　顧嗣立編及箋釋。

韓愈昌黎詩箋注十一卷　顧嗣立撰。

昌黎詩增注證譌十一卷　黃鉞撰。

編年昌黎詩注十二卷　方世舉撰。

韓集點勘四卷　陳景雲撰。

昌黎集補注四十卷　沈欽韓撰。

讀韓記疑十卷　王元啟撰。

柳宗元集點勘三卷　陳景雲撰。

李賀長吉歌詩彙解四卷　外集一卷　王琦撰。

協律鉤元注四卷　陳本禮撰。

樊宗師紹述集注二卷　盧仝玉川子詩集注五卷　孫之騄撰。

杜牧樊川文集注二十卷　馮集梧撰。

李商隱義山詩注三卷　補注一卷　<small>朱鶴齡撰。</small>

重訂李義山詩集箋注三卷　外集箋注一卷　<small>程夢星撰。</small>

李義山詩集注十六卷　<small>姚培謙撰。</small>

李義山文集箋注十卷　<small>箋,徐樹穀撰;注,徐炯撰。</small>

玉溪生詩詳注三卷　樊南文集詳注八卷　<small>馮浩撰。</small>

樊南文集箋注補編十二卷　附錄一卷　<small>箋,錢振倫撰;注,錢振常撰。</small>

溫庭筠飛卿集箋注九卷　<small>顧予咸撰,子嗣立增補。</small>

孫樵文志疑一卷　<small>汪師韓撰。</small>

羅鄴比紅兒詩注一卷　<small>沈可培撰。</small>

宋王安石荊公文集注四十四卷　<small>沈欽韓撰。</small>

蘇軾詩施注補注四十二卷　王注正譌一卷　<small>邵長蘅、李必恆同撰。</small>

蘇詩補註一卷　<small>馮景撰。</small>

補注東坡編年詩五十卷　<small>查慎行撰。</small>

蘇詩查注補正四卷　<small>沈欽韓撰。</small>

蘇詩合注五十卷　附錄五卷　<small>馮應榴撰。</small>

蘇詩編注集成一百三卷　雜綴一卷　<small>王文浩撰。</small>

蘇詩補注八卷　<small>翁方綱撰。</small>

范成大石湖詩集注三卷　<small>沈欽韓撰。</small>

謝翱西臺慟哭記注一卷　<small>黃宗羲撰。</small>

金元好問遺山詩集注十四卷　<small>施國祁撰。</small>

元吳萊淵穎先生集注十二卷　<small>王朝宷、王繩曾同撰。</small>

楊維楨鐵崖樂府注十卷　逸編注八卷　詠史注八卷　<small>樓卜瀍撰。</small>

明高啟靑邱詩集注十八卷　附鳧藻集五卷　<small>金檀撰。</small>

陳子龍忠裕集注三十卷　<small>王昶等撰。</small>

　　　　以上箋注自魏至明詩文集

亭林文集六卷　詩集五卷　餘集一卷　佚詩一卷　<small>顧炎武撰。</small>

南雷文定前集十一卷　後集四卷　三集三卷　詩歷四卷 黃宗羲撰。

薑齋文集十卷　詩集十八卷 王夫之撰。

夏峰先生集十四卷 孫奇逢撰。

用六集十二卷 刁包撰。

桴亭詩鈔八卷　文鈔六卷 陸世儀撰。

居易堂集二十卷 徐枋撰。

隰西草堂詩集五卷　文集三卷 萬壽祺撰。

蜃園文集四卷　詩集四卷　梅花百詠一卷　九山游草一卷 李確撰。

愧訥集十二卷 朱用純撰。

楊園先生文集五十四卷 張履祥撰。

霜紅龕文集四卷　詩集不分卷 傅山撰。

白耷山人詩集十卷　文集二卷 閻爾梅撰。

懸弓集三十卷　元恭文續鈔七卷 歸莊撰。

田間詩集二十八卷　文集三十卷 錢澄之撰。

二曲集二十六卷 李顒撰。

五公山人集十四卷 王餘祐撰。

巢民詩集八卷　文集六卷 冒襄撰。

魏伯子文集十卷 魏際瑞撰。

魏叔子文集二十二卷　詩集八卷 魏禧撰。

魏季子文集十六卷 魏禮撰。

邱邦士文集十七卷 邱維屏撰。

寒支初集十卷　二集四卷 李世熊撰。

變雅堂文集五卷　詩集四卷 杜濬撰。

聰山集十四卷 申涵光撰。

柿葉庵詩選一卷 張蓋撰。

爲可堂詩集十六卷　朱一是撰。

蒿庵集三卷　張爾岐撰。

馮氏小集七卷　馮班撰。

屈翁山詩集八卷　外集十八卷　屈大均撰。

獨漉堂稿六卷　陳恭尹撰。

犀崖文集二十五卷　雲湖堂集六卷　易學實撰。

陳士業全集十六卷　陳宏緒撰。

棗林詩集一卷　談遷撰。

水田居士文集五卷　賀貽孫撰。

宇台集四十卷　孫治撰。

潛齋先生集十卷　應撝謙撰。

五經堂文集五卷　范鄗鼎撰。

敬修堂釣業一卷　查繼佐撰。

瀨園文集二十卷　詩後集三卷　嚴首昇撰。

內省齋文集三十二卷　湯來賀撰。

虎溪漁叟集十卷　劉命清撰。

落木庵詩集二卷　徐波撰。

困亨齋集二卷　王錫闡撰。

紫峰集十四卷　杜越撰。

白茅堂集四十六卷　顧景星撰。

愚庵小集十五卷　朱鶴齡撰。

杲堂文鈔六卷　詩鈔七卷　李鄴嗣撰。

初學集一百十卷　有學集五十卷　錢謙益撰。

梅村集四十卷　吳偉業撰。

吳詩集覽二十卷　談藪一卷　靳榮藩編注。

吳梅村詩箋注二十卷　吳翌鳳撰。

燕香齋文集四卷　詩集六卷　劉餘祐撰。

金文通集二十卷 金之俊撰。

灌研齋集四卷 李元鼎撰。

秀巖集三十一卷 胡世安撰。

澹友軒集十六卷 桴菴集四卷 薛所蘊撰。

青溪遺稿二十八 程正揆撰。

己亥存稿一卷 孫承澤撰。

浮雲集十一卷 陳之遴撰。

静惕堂詩集四十四卷 曹溶撰。

了莪文集九卷 且園近集 且園近詩四卷 王岱撰。

讀史亭詩集十六卷 文集二十二卷 彭而述撰。

山圍堂集二十三卷 鄭宗圭撰。

石雲居士集十五卷 詩七卷 陳名夏撰。

栖雲閣詩十六卷 高珩撰。

青箱堂文集三十三卷 詩集三十三卷 王崇簡撰。

東村集十卷 李呈祥撰。

東谷集三十四卷 歸庸集四卷 桑楡集三卷 白允謙撰。

定山堂詩集四十三卷 龔鼎孳撰。

雪堂先生集選十一卷 熊文舉撰。

賴古堂集二十四卷 周亮工撰。

沚亭删定文集二卷 自删詩一卷 孫廷銓撰。

兼濟堂文集二十卷 魏裔介撰。

寒松堂文集十卷 詩集三卷 魏象樞撰。

西北文集四卷 畢振姬撰。

蘭雪堂詩集三卷 謝賓王撰。

袚園集九卷 梁清遠撰。

心遠堂詩集十二卷 李霨撰。

且亭詩集不分卷 楊思聖撰。

四思堂文集八卷　傅維鱗撰。

王文靖集二十四卷　王熙撰。

傅忠毅集八卷　傅宏烈撰。

佳山堂集十卷　馮溥撰。

林屋文藁十六卷　詩藁十四卷　宋徵輿撰。

慎齋遇集五卷　蔣永修撰。

安雅堂詩不分卷　文集四卷　未刻稿十卷　宋琬撰。

學餘堂文集二十八卷　詩集五十卷　外集二卷　施閏章撰。

屺思堂文集八卷　詩集一卷　劉子壯撰。

熊學士詩文集三卷　熊伯龍撰。

志壑堂文集十三卷　詩集十五卷　唐夢賚撰。

中山文鈔四卷　詩鈔四卷　郝浴撰。

湯文正遺稿五卷　湯斌撰。

蓮龕集十六卷　李來泰撰。

嵩游集一卷　葉封撰。

萬青閣全集八卷　林臥遙集三卷　趙吉士撰。

堪齋詩存八卷　顧大申撰。

學源堂文集十八卷　郭棻撰。

堯峰文鈔五十卷　鈍翁類稿一百十八卷　汪琬撰。

司勳五種集二十卷　王士禄撰。

掄山集選一卷　王士禧撰。

古鉢集選一卷　王士祐撰。

帶經堂全集九十二卷　王士禎撰。

漁洋山人精華錄訓纂十卷　惠棟撰。

精華錄箋注十二卷　補遺一卷　金榮撰。

樂圃集七卷　顏光敏撰。

鶴嶺山人詩集十六卷　王澤宏撰。

恥躬堂文集二十卷　王命岳撰。

七頌堂集十四卷　劉體仁撰。

午亭文編五十卷　陳廷敬撰。

經義齋集十八卷　熊賜履撰。

庸書二十卷　張貞生撰。

蒼峴山人文集六卷　詩集五卷　秦松齡撰。

讀書齋偶存藁四卷　葉方藹撰。

松桂堂全集三十七卷　彭孫遹撰。

張文貞集十二卷　張玉書撰。

忠貞集十卷　范承謨撰。

抱犢山房集六卷　嵇永仁撰。

蓮洋詩鈔十卷　吳雯撰。

西陂類稿三十九卷　宋犖撰。

正誼堂詩集二十卷　文集不分卷　董以寧撰。

鐵廬集三卷　外集二卷　附錄一卷　潘天成撰。

溉堂前集九卷　續集六卷　後集六卷　孫枝蔚撰。

闇修齋稿一卷　蕭企昭撰。

藕灣全集二十九卷　張仁熙撰。

織齋集鈔八卷　李煥章撰。

謝程山集十八卷　謝文洊撰。

燕峰文鈔一卷　費密撰。

省廬文集七卷　詩集七卷　彭師度撰。

省軒文鈔十卷　柴紹炳撰。

張秦亭詩集十二卷　張丹撰。

潠書八卷　　思古堂集四卷　東苑文鈔二卷　詩鈔一卷　小
　匡文鈔四卷　蕊雲集一卷　晚唱一卷　毛先舒撰。

會侯文鈔二十卷　毛際可撰。

學園集一卷　續編一卷　沈起撰。

黃山詩留十六卷　法若真撰。

春樹草堂集六卷　杜恒燦撰。

天廷閣詩前集十六卷　後集十三卷　梅清撰。

託素齋集十卷　黎士宏撰。

雪鴻堂文集十八卷　李蕃撰。

秋笳集十卷　吳兆騫撰。

改亭文集十六卷　詩六卷　計東撰。

挹奎樓文集十二卷　吳山觳音八卷　林雲銘撰。

嵩庵集五卷　馮甦撰。

世德堂集四卷　王鉞撰。

古愚心言八卷　彭鵬撰。

聊園全集十五卷　孔貞瑄撰。

葉忠節遺稿十三卷　葉映榴撰。

谷口山房詩集十卷　李念慈撰。

中巖集六卷　宋振麟撰。

稽留山人集二十卷　陳祚明撰。

陋軒詩四卷　吳嘉紀撰。

定隆樂府十卷　沙張白撰。

突星閣詩鈔十五卷　王戩撰。

冠豸山堂文集三卷　童能靈撰。

丁野鶴詩鈔十卷　丁耀亢撰。

吾好遺稿一卷　章靜宜撰。

萊山堂集八卷　遺稿五卷　章金牧撰。

懷葛堂文集十五卷　梁份撰。

江泠閣詩集十四卷　文集四卷　續集二卷　冷士嵋撰。

海日堂詩集五卷　文集二卷　程可則撰。

問山詩集十卷　文集八卷　丁煒撰。

己畦詩集十卷　文集十四卷　葉燮撰。

習齋記餘十卷　顏元撰。

恕谷後集十三卷　李塨撰。

居業堂集二十卷　王源撰。

林蕙堂集二十六卷　吳綺撰。

思綺堂文集十卷　章藻功撰。

善卷堂集四卷　陸繁弨撰。

尺五堂詩删六卷　嚴我斯撰。

讀書堂集四十六卷　趙士麟撰。

篤素堂詩集七卷　文集十六卷　存誠堂詩集二十五卷　應制
　詩五卷　張英撰。

戒菴詩存一卷　邵遠平撰。

古懽堂集三十六卷　田雯撰。

鬲津草堂詩集不分卷　田霢撰。

學文堂集四十三卷　陳玉璂撰。

石屋詩鈔八卷　補鈔一卷　魏廉徵撰。

榕村集四十卷　李光地撰。

臯軒文編一卷　李光坡撰。

三魚堂文集十二卷　外集六卷　附録二卷　陸隴其撰。

憺園集三十八卷　徐乾學撰。

健松齋集二十四卷　續集十卷　方象瑛撰。

百尺梧桐閣集二十六卷　汪懋麟撰。

趙恭毅剩稿八卷　趙申喬撰。

玉巖詩集七卷　林麟焻撰。

安静子集十三卷　安致遠撰。

臨野堂文集十卷　鈕琇撰。

有懷堂詩文稿二十八卷　韓菼撰。

蘋村類藁三十卷　徐倬撰。

鳳池園集十六卷　顧汧撰。

寶嗇堂詩藁四卷　河上草二卷　蘭樵歸田稿一卷　張榕端撰。

張文端集七卷　張鵬翮撰。

因園集十三卷　趙執信撰。

寶菌堂遺诗二卷　赵執端撰

通志堂集十八卷　納喇性德撰。

青門簏稿十六卷　青門旅稿六卷　青門膳稿六卷　邵長蘅撰。

清芬堂存稿八卷　胡會恩撰。

橫雲山人集十六卷　王鴻緒撰。

于清端政書八卷　于成龍撰。

世恩堂集三十五卷　王頊齡撰。

受祺堂詩集三十四卷　李因篤撰。

遂初堂詩集十五卷　文集二十卷　別集四卷　潘耒撰。

抱經齋集二十卷　徐嘉炎撰。

叢碧山房集五十七卷　龐塏撰

曝書亭集八十卷　附錄一卷　朱彝尊撰。

曝書亭集外稿八卷　馮登府輯。

曝書亭詩注二十二卷　楊謙撰。

曝書亭賦詩注二十三卷　孫銀槎撰。

曝書亭詩鈔箋注十二卷　汪浩然撰。

湖海樓詩集十二卷　文集十八卷　陳維崧撰。

陳檢討四六注十二卷　程師恭撰。

西河集一百八十九卷　毛奇齡撰。

西堂全集六十六卷　尤侗撰。

白雲村集八卷　李澄中撰。

秋錦山房集二十二卷　李良年撰。

南州草堂集三十卷　徐釚撰。

深秀亭近草五卷　潘鍾麟撰。

超然詩集八卷　張遠撰。

香草居集七卷　李符撰。

秋水閣文鈔一卷　陳維岳撰。

野香亭集十三卷　李孚青撰。

馮舍人遺詩六卷　馮廷櫆撰。

居業齋文集二十卷　別集十卷　金德嘉撰。

葛莊分類詩鈔十四卷　刘廷璣撰。

益戒堂詩集十六卷　揆叙撰。

南堂集十二卷　施世綸撰。

與梅堂集十三卷　佟世思撰。

棟亭詩鈔八卷　文鈔一卷　曹寅撰。

墨井詩鈔二卷　吳歷撰。

甌香館集十二卷　惲格撰。

離垢集五卷　華嵒撰。

蓄齋集十六卷　黃中堅撰。

笠翁一家言十六卷　李漁撰。

柯庭餘習十二卷　汪文柏撰。

後甲集二卷　章大來撰。

正誼堂集十二卷　續集八卷　張伯行撰。

愛日堂詩二十七卷　陳元龍撰。

鶴侶齋集三卷　孫勷撰。

岕老編年詩鈔十三卷　金張撰。

崑崙山房集三卷　張篤慶撰。

懷清堂集二十卷　湯右曾撰。

藥亭詩集二卷　梁佩蘭撰。

湛園未定稿六卷　葦間詩集五卷　姜宸英撰。

經進文稿六卷　清吟堂集九卷　歸田集十四卷　高士奇撰。

紺寒亭詩集十卷　文集四卷　趙俞撰。

枕左棠詩集六卷　孫致彌撰。

過江集四卷　史申義撰。

寒村集三十六卷　鄭梁撰。

嶢山文集四卷　詩集一卷　田從典撰。

潘中丞集四卷　潘宗洛撰。

東山草堂文集二十卷　邱嘉穗撰。

陸堂文集二十卷　陸奎勳撰。

時用集不分卷　陳訏撰。

小谷口著述緣起不分卷　鄭元慶撰。

思復堂集十卷　邵廷采撰①。

高陽山人文集十二卷　劉青藜撰。

南山文集十六卷　戴名世撰。

呂用晦文集六卷　續集四卷　呂留良撰。

幸跌草三卷　黃百家撰。

眺秋樓詩八卷　高岑撰。

赤嵌集四卷　孫元衡撰。

四香樓集四卷　范纘撰。

釀川集十三卷　許尚質撰。

南園詩鈔十卷　尤世求撰。

在陸草堂集六卷　儲欣撰。

道榮堂文集六卷　近詩十卷　陳鵬年撰。

①　"廷"原作"庭"，據《清碑傳合集·族祖邵先生廷采行狀》改。

固哉叟詩鈔八卷　高孝本撰。

咸齋文鈔七卷　查旭撰。

味和堂詩集六卷　高其倬撰。

德蔭堂集十六卷　阿克敦撰。

清端集八卷　陳璸撰。

夢月巖詩集二十卷　冶古堂文集五卷　呂履恒撰。

青要集十二卷　呂謙恒撰。

嚴太僕詩文集十卷　嚴虞惇撰。

天鑒堂集八卷　沈近思撰。

檪學齋詩集十卷　林佶撰。

畏壘山人詩集四卷　徐昂發撰。

楊文定文集十二卷　楊名時撰。

澄懷園全集三十七卷　張廷玉撰。

詠花軒詩集六卷　张廷璐撰。

秋江詩集六卷　黃任撰。

黑蝶齋詩鈔四卷　沈岸登撰。

樓村集二十五卷　王式丹撰。

古劍書屋文鈔十卷　吳廷楨撰。

緯蕭草堂詩六卷　宋至撰。

彭南畇文稿十二卷　詩稿十卷　編年詩十七卷　彭定求撰。

補瓢存稿六卷　韓騏撰。

硯溪先生詩稿七卷　惠周惕撰。

甓湖草堂文集六卷　近集四卷　高世杰撰。

二希堂文集十二卷　蔡世遠撰。

查浦詩鈔十二卷　查嗣瑮撰。

敬業堂集五十卷　查慎行撰。

望溪集十八卷　外集十二卷　方苞撰。

四知堂集三十六卷　楊錫紱撰。

存硯樓文集十六卷　儲大文撰。

績學堂文鈔六卷　詩鈔四卷　梅文鼎撰。

滋蘭堂詩集十卷　沈元滄撰。

澹初詩稿八卷　沈翼機撰。

十峯集五卷　徐基撰。

圭美堂集二十六卷　徐用錫撰。

性影集八卷　王時憲撰。

橘巢小稿四卷　王世琛撰。

改堂文鈔二卷　唐紹祖撰。

師經堂集十八卷　徐文駒撰。

閬邱詩集六十卷　顧嗣立撰。

今有堂詩集六卷　程夢星撰。

墨香閣詩文集十三卷　彭維新撰。

何端簡集十二卷　何世璂撰。

趙裘萼賸稿四卷　趙熊詔撰。

白田草堂存稿二十四卷　王懋竑撰。

近道齋詩集四卷　文集六卷　陳萬策撰。

孟鄰堂文鈔十六卷　楊椿撰。

健餘文集十卷　尹會一撰。

義門先生集十二卷　何焯撰。

解春文鈔十二卷　補遺二卷　詩鈔二卷　馮景撰。

穆堂類稿五十卷　續稿五十卷　別稿五十卷　李紱撰。

近青堂詩集一卷　卓爾堪撰。

積山先生遺集十卷　汪維憲撰。

可儀堂文集二卷　俞長城撰。

虞東先生文錄八卷　顧鎮撰。

黃葉村莊詩集十卷　吳之振撰。

大谷集六卷　方殿元撰。

大樗堂初集十二卷　王隼撰。

雲華閣詩略六卷　易宏撰。

鹿洲初集十二卷　藍鼎元撰。

龍溪草堂集十卷　王世睿撰。

雲溪文集五卷　儲掌文撰。

寒香閣詩集四卷　鄧鍾岳撰

疊麟詩集十二卷　馬維翰撰。

秋塍文鈔十二卷　三州詩鈔四卷　魯曾煜撰。

文蔚堂詩集八卷　西林遺稿六卷　鄂爾泰撰。

楚蒙山房詩文集二十卷　晏斯盛撰。

香樹齋文集二十八卷　續集五卷　詩集十八卷　續集三十六卷　錢陳羣撰。

澂潭山房古文存稿四卷　詩集十七卷　程襄龍撰。

師善堂詩集十卷　嵇曾筠撰。

小蘭陔集十二卷　謝道承撰。

桐村詩九卷　馮詠撰。

崇德堂集八卷　王植撰。

墻東雜著一卷　王汝驤撰。

王己山文集十卷　別集四卷　王步青撰。

甘莊恪集十六卷　甘汝來撰。

課忠堂詩鈔不分卷　魏廷珍撰。

靈川閣詩集九卷　杜詔撰。

學古堂詩集六卷　沈季友撰。

渠亭山人半部稿一卷　潛州集一卷　或語集一卷　娛老集一卷　張貞撰。

湖海集十二卷 　孔尚任撰。

陳司業文集四卷　詩集四卷 　陳祖范撰。

芙蓉集十七卷 　宋元鼎撰。

懷舫集三十六卷 　魏荔彤撰。

笛漁小稿十卷 　朱昆田撰。

秋水集十卷 　嚴繩孫撰。

清芬樓遺稿四卷 　任啟運撰。

松泉文集二十卷　詩集二十六卷 　汪由敦撰。

蔗尾詩集十五卷　文集二卷 　鄭方坤撰。

樹人堂詩七卷 　帥念祖撰。

涵有堂詩文集四卷 　游紹安撰。

江聲草堂詩集八卷 　金志章撰。

王艮齋集十四卷 　王峻撰。

四焉齋文集八卷　詩集六卷 　曹一士撰。

金管集一卷　花語山房詩文小鈔一卷 　顧成天撰。

柳漁詩鈔十二卷 　張湄撰。

秋水齋詩集十五卷 　張映斗撰。

松桂讀書堂集八卷 　姚培謙撰。

寒齋詩集四卷 　岳鍾琪撰。

道腴堂詩編三十卷　詩續十二卷 　鮑鉁撰。

孱守齋遺稿四卷 　姚世鈺撰。

在亭叢稿二十卷 　李果撰。

後海書堂遺文二卷 　王孝詠撰。

豐川全集二十八卷　後集三十四卷 　王心敬撰。

繡塘詩集一卷　楚頌亭詩二卷　扈從清平遺調一卷 　顧貞觀撰。

質園詩集三十四卷 　商盤撰。

綠陰亭集二卷 　陳奕禧撰。

江湖間吟八卷　王道撰。

翰村詩稿六卷　仲是保撰。

芝庭文稿八卷　詩稿十六卷　彭啟豐撰。

尹文端公詩集十卷　尹繼善撰。

柳南詩鈔十卷　文鈔六卷　王應奎撰。

上湖紀歲詩編四卷　續編一卷　分類文編一卷　補鈔二卷　汪師韓撰。

矢音集十卷　梁詩正撰。

筠谷詩鈔六卷　別集一卷　鄭江撰。

露香書屋遺集十卷　張映辰撰。

蔗堂未定稿八卷　外集四卷　查爲仁撰。

吞松閣集二十卷　鄭虎文撰。

朱文端公集四卷　朱軾撰。

銅鼓書堂遺集三十二卷　查禮撰。

珂雪集二卷　實庵詩略二卷　曹貞吉撰。

培遠堂偶存稿四十八卷　陳宏謀撰。

雙池文集十卷　汪紱撰。

陶晚聞先生集十卷　陶正靖撰。

經笥堂文鈔二卷　雷鋐撰。

晴嵐詩存八卷　張若靄撰。

壽藤齋集三十五卷　鮑倚雲撰。

南華山人詩鈔十六卷　賜詩賡和集六卷　張鵬翀撰。

問青堂詩集十卷　朱倫瀚撰。

蔣濟航先生文集二卷　蔣汾功撰。

奉石堂集二卷　達禮撰。

受宜堂集四十三卷　常安撰。

　　　以上順治、康熙、雍正朝

繩庵内外集二十四卷　劉綸撰。

東山草堂集六卷　潘安禮撰。

絳跗閣詩稿十一卷　諸錦撰。

道古堂文集四十八卷　詩集二十六卷　杭世駿撰。

紫竹山房文集十一卷　詩集十二卷　陳兆崙撰。

隱拙齋集五十卷　沈廷芳撰。

寶綸堂文鈔八卷　詩鈔六卷　齊召南撰。

石笥山房詩集十一卷　補遺四卷　文集六卷　補遺一卷　胡天游撰。

歸愚詩文鈔五十八卷　沈德潛撰。

小倉山房文集三十卷　詩集三十一卷　外集七卷　袁枚撰。

隨園詩録十卷　邊連寶撰。

白雲詩集七卷　盧存心撰。

白雲山房文集六卷　詩集二卷　張象津撰。

雲逗樓集二卷　楊度汪撰。

黃静山集十二卷　黃永年撰。

檜門詩存四卷　金德瑛撰。

强恕齋文鈔五卷　張庚撰。

睫巢集六卷　後集一卷　李鍇撰。

大谷山堂集六卷　夢麟撰。

雷溪草堂詩一卷　那蘭長海撰。

陳玉几詩集三卷　陳撰撰。

無悔齋集十五卷　周京撰。

樊榭山房集二十卷　厲鶚撰。

果堂集十二卷　沈彤撰。

賜書堂詩選八卷　周長發撰。

明史雜詠四卷　嚴遂成撰。

位山詩賦全集二卷　徐文靖撰。

雲在詩鈔九卷　查祥撰。

六峰閣詩稿一卷　朱稻孫撰。

黍谷山房集十卷　吳麟撰。

桑弢甫集八十四卷　桑調元撰。

厝堂集六十一卷　香屑集十六卷　黃之雋撰

集虛齋學古文十二卷　方楘如撰。

綠蘿山房文集二十四卷　詩集三十三卷　胡浚撰。

海峰文集十卷　詩集四卷　劉大櫆撰。

鮚埼亭文集三十八卷　外集五十卷　詩集八卷　句餘土音四
　卷　全祖望撰。

愛日堂吟稿十五卷　趙昱撰。

沙河逸老小稿一卷　馬曰琯撰。

南齋集二卷　馬曰璐撰。

澄悅堂集十四卷　國梁撰。

薇香集一卷　燕香集二卷　二集二卷　方觀承撰。

裘文達詩集十二卷　文集六卷　裘曰修撰。

春鳧小稿十二卷　符曾撰。

籜石齋詩集四十九卷　錢載撰。

空山堂文集十二卷　詩集六卷　牛運震撰。

阮齋集十卷　勞孝輿撰。

槐堂詩文稿二十卷　汪沆撰。

秀硯齋吟稿二卷　趙信撰。

蘭藻堂集十二卷　舒瞻撰。

西齋詩輯遺三卷　博朋撰。

固哉草亭集六卷　高斌撰。

陶人心語六卷　唐英撰。

緝齋文集八卷　詩稿八卷　蔡新撰。

板橋全集四卷　鄭燮撰。

海門詩鈔初集十卷　外集四卷　鮑皋撰。

賜書堂文集六卷　詩集四卷　翁照撰。

介石堂詩集十卷　古文十卷　郭起元撰。

素餘堂集三十四卷　于敏中撰。

敬思堂詩集六卷　文集六卷　梁國治撰。

知足齋文集六卷　詩集二十卷　朱珪撰。

笥河文集十六卷　朱筠撰。

切問齋集十六卷　陸燿撰。

潛研堂文集五十卷　詩集十卷　續集十卷　錢大昕撰。

可廬十種著述叙例一卷　錢大昭撰。

春融堂集六十八卷　王昶撰。

　　西莊始存稿三十九卷　西沚居士集二十四卷　王鳴盛撰。

樗亭詩稿十八卷　薩哈岱撰。

蘭玉堂文集二十卷　詩集十卷　張雲錦撰。

燕川集十四卷　范泰恆撰。

援鶉堂文集六卷　姚範撰。

蘇園仲文集二卷　補遺一卷　詩集六卷　蘇去疾撰。

梅厓居士文集三十卷　外集八卷　朱仕琇撰。

研經堂文集三卷　詩集十三卷　吉夢熊撰。

松厓文鈔二卷　惠棟撰。

復初齋文集三十五卷　詩集六十六卷　翁方綱撰。

聽鶯居文鈔三十卷　翁廣平撰。

紀文達遺集十六卷　紀昀撰。

一瓢齋詩存六卷　薛雪撰。

柘坡居士集十二卷　萬光泰撰。

澄碧齋詩鈔十二卷　錢琦撰。

静廉齋詩集二十四卷　金甡撰。

劉文清遺集十七卷　劉墉撰。

冬心集四卷　金農撰。

産鶴亭詩集七卷　曹廷棟撰。

省吾齋集二十卷　竇光鼐撰。

筠心書屋詩鈔十二卷　褚廷璋撰。

月滿樓詩集四十一卷　別集六卷　顧宗泰撰。

葆淳閣集二十六卷　王杰撰。

泊鷗山房存稿三十八卷　陶元藻撰。

墨香閣文集十五卷　彭惟新撰。

小山詩鈔十一卷　鄒一桂撰。

東原集十卷　戴震撰。

南江集鈔四卷　邵晉涵撰。

抱經堂文集三十四卷　盧文弨撰。

玉芝堂文集六卷　詩集三卷　邵齊燾撰。

隱几山房文集十六卷　邵齊熊撰。

學福齋文集二十卷　詩集三十卷　沈大成撰。

遠讀齋詩稿二十卷　韓崶撰。

西澗草堂集四卷　閻循觀撰。

南阜山人詩集七卷　高鳳翰撰。

紅欄書屋文稿七卷　詩稿四卷　孔繼涵撰。

玉虹樓遺稿一卷　孔繼涑撰。

靈巖山人文集四十卷　詩集十二卷　畢沅撰。

青溪文集十二卷　程廷祚撰。

存悔齋集二十八卷　劉鳳誥撰。

恩餘堂經進初稿十二卷　續稿二十二卷　三稿十一卷　彭元瑞撰。

秋士先生遺集六卷　彭績撰。

二林居士集二十四卷　彭紹升撰。

尊聞居士集八卷　羅有高撰。

惜抱軒詩文集三十八卷　姚鼐撰。

山木集四卷　魯仕驥撰。

忠雅堂文集十二卷　詩集二十九卷　蔣士銓撰。

白華前稿六十卷　後稿四十卷　吳省欽撰。

聽彝堂偶存稿二十一卷　吳省蘭撰。

悅親樓詩集三十卷　祝德麟撰。

三松堂詩集二十卷　文集四卷　續集六卷　潘奕雋撰。

勉行堂文集六卷　詩集二十四卷　程晉芳撰。

小峴山人文集六卷　詩集二十八卷　秦瀛撰。

錢南園遺集五卷　錢澧撰。

經韻樓集十二卷　段玉裁撰。

百一山房詩集十二卷　孫士毅撰。

寶奎堂集十二卷　陸錫熊撰。

甌北集五十卷　續三卷　甌北詩鈔二十卷　趙翼撰。

海愚詩鈔十二卷　朱孝純撰。

夢樓詩集二十四卷　王文治撰。

紅豆詩人集十九卷　董潮撰。

清獻堂集十卷　趙佑撰。

頻羅菴集十六卷　梁同書撰。

無不宜齋稿四卷　翟灝撰。

陳乾初文集十八卷　詩集十二卷　別集十九卷　陳確撰。

臨江鄉人詩四卷　吳穎芳撰。

青虚山房集十一卷　王太岳撰。

程侍郎遺集十卷　程恩澤撰。

訒菴詩存六卷　汪啟淑撰。

響泉集三十卷　顧光旭撰。

梅菴文鈔六卷　詩鈔五卷　鐵保撰。

石閭詩稿三十卷　陳景元撰。

竹葉庵集三十三卷　張塤撰。

柚堂文存四卷　盛百二撰。

藏韻府詩集八卷　御覽集四卷　沈初撰。

孟亭居士文稿五卷　詩稿四卷　馮浩撰。

述學內外篇六卷　詩集六卷　汪中撰。

校禮堂集三十六卷　凌廷堪撰。

無悶集四卷　崔述撰。

授堂文鈔八卷　武億撰。

顨軒所著書六十卷　孔廣森撰。

拜經堂文集四卷　臧庸撰。

問字堂集五卷　岱南閣集五卷　五松園文集一卷　芳茂山人詩録九卷　孫星衍撰。

卷施閣文甲集十卷　補遺一卷　乙集十卷　續編一卷　詩集二十卷　更生齋文甲集四卷　乙集二卷　詩集八卷　續集十卷　洪亮吉撰。

純則齋駢文二卷　詩二卷　洪齮孫撰。

嘉樹山房詩文集二十卷　外集二卷　張士元撰。

大雲山房文稿四卷　二集四卷　言事二卷　惲敬撰。

淵雅堂編年詩稿二十卷　惕夫未定稿二十六卷　詩外集四卷　文外集四卷　王芑孫撰。

吉堂文稿十二卷　詩稿八卷　欽善撰。

壹齋集四十卷　黃鉞卷。

瓶庵居士文鈔四卷　詩鈔四卷　孟超然撰。

雙佩齋文集四卷　駢體文一卷　詩集八卷　王友亮撰。

船山詩草二十卷　張問陶撰。

衍慶堂詩稿十一卷　顏檢撰。

晚學集八卷　桂馥撰。

簡松草堂詩集二十卷　文集十卷　張雲璈撰。

韞山堂文集八卷　詩集十六卷　管世銘撰。

陶山詩錄十二卷　唐仲冕撰。

兩當軒集二十二卷　黃景仁撰。

劉端臨遺書四卷　劉台拱撰。

稼門詩文草十卷　汪志伊撰。

第六弦溪文鈔四卷　黃延鑑撰。

雙桂堂稿十卷　續編八卷　紀大奎撰。

亦有生齋詩集三十二卷　文集二十卷　續集六卷　趙懷玉撰。

珍藝宦文鈔七卷　詩鈔二卷　莊述祖撰。

真率齋初稿十卷　芙蓉山館詩稿十六卷　楊芳燦撰。

童山文集二十卷　補遺一卷　李調元撰。

烟霞萬古樓文集六卷　仲瞿詩錄一卷　王曇撰。

榮性堂集二十卷　吳俊撰。

易簡齋詩鈔四卷　和寧撰。

香湖文存一卷　詩鈔二卷　李堯文撰。

存素堂詩初集二十四卷　二集二卷　法式善撰。

素修堂詩集二十四卷　後集六卷　吳蔚光撰。

雙藤書屋詩集十二卷　何道生撰。

鉼水齋詩集十七卷　舒位撰。

清愛堂集二十三卷　魏成憲撰。

留春草堂詩鈔七卷　伊秉綬撰。

五硯齋文鈔十卷　詩鈔二十卷　沈赤然撰。

澹静齋文鈔六卷　詩鈔六卷　龔景瀚撰。

陶園文集八卷　詩集二十四卷　張九鉞撰。

笙雅堂文集四卷　詩集十四卷　張九鐔撰。

有正味齋文集十六卷　駢體文二十四卷　詩集十六卷　吳錫麒撰。①

樹經堂文集四卷　謝啟昆撰。

思不辱齋文集四卷　詩集四卷　萬承風撰。

吳學士文集四卷　吳蕬撰。

東潛文稿二卷　趙一清撰。

玉山逸稿四卷　鮑廷博撰。

炳燭齋遺文一卷　江藩撰。

棕亭古文鈔十卷　駢體文鈔八卷　詩鈔十八卷　金兆燕撰。

邁堂文略四卷　李祖陶撰。

南澗文集二卷　李文藻撰。

南野堂詩集七卷　吳文溥撰。

論山詩選十五卷　鮑之鍾撰。

悔生文集八卷　王灼撰。

祇平居士集三十卷　王元啟撰。

揅經室一集十四卷　二集八卷　三集五卷　四集十一卷　詩集十二卷　續集九卷　再續集六卷　阮元撰。

茗柯文集五卷　張惠言撰。

崇百藥齋文集二十卷　續集四卷　三集十二卷　陸繼輅撰。

太乙舟文集八卷　陳用光撰。

---

①　"麒",原作"麟",據《清史稿藝文志及補編》、《吳氏家稿》本書所題作者名改。

東溟文集六卷　外集四卷　<small>姚瑩撰。</small>

南村草堂文鈔二十卷　<small>鄧顯鶴撰。</small>

壯學齋文集十二卷　<small>周樹槐撰。</small>

月滄文集八卷　<small>呂璜撰。</small>

孟塗文集十卷　<small>劉開撰。</small>

通藝閣文集十二卷　詩録八卷　和陶詩二卷　<small>姚椿撰。</small>

休復居文集六卷　<small>毛嶽生撰。</small>

初月樓集十八卷　詩鈔四卷　<small>吳德旋撰。</small>

雕菰樓集二十四卷　<small>焦循撰。</small>

思適齋集十八卷　<small>顧廣圻撰。</small>

蛻稿四卷　<small>梁玉繩撰。</small>

左海文集二十卷　絳趺閣詩集六卷　<small>陳壽祺撰。</small>

鑑止水齋集二十卷　<small>許宗彥撰。</small>

鐵橋漫稿八卷　<small>嚴可均撰。</small>

尚絅堂文集二卷　詩五十二卷　<small>劉嗣綰撰。</small>

小謨觴館文集四卷　續二卷　詩集八卷　續二卷　<small>彭兆蓀撰。</small>

章氏遺書十一卷　<small>章學誠撰。</small>

泰雲堂文集二十五卷　<small>孫爾準撰。</small>

賞雨茆屋詩集二十二卷　駢體文二卷　<small>曾燠撰。</small>

求是堂詩集二十二卷　文集六卷　駢體文二卷　<small>胡承珙撰。</small>

養素堂文集三十五卷　<small>張澍撰。</small>

柯家山館遺詩六卷　悔庵學文八卷　<small>嚴元照撰。</small>

簡莊文鈔六卷　續編二卷　詩鈔一卷　<small>陳鱣撰。</small>

心齋詩稿一卷　<small>任兆麟撰。</small>

養一齋文集二十六卷　<small>李兆洛撰。</small>

丹棱文鈔四卷　<small>蔣彤撰。</small>

幼學堂詩集十七卷　文集八卷　<small>沈欽韓撰。</small>

香蘇山館詩集二十一卷　文集二卷　吳嵩梁撰。

落颿樓文稿六卷　賸稿二卷　沈垚撰。

校經廎文稿十八卷　李富孫撰。

借閒生詩三卷　汪遠孫撰。

花宜館詩鈔十六卷　續鈔一卷　文略一卷　吳振棫撰。

是程堂集二十二卷　屠倬撰。

頤道堂文鈔十三卷　詩選三十卷　外集十三卷　戒後詩存十六卷　補遺六卷　陳文述撰。

崇雅堂駢體文鈔四卷　文鈔二卷　詩鈔十卷　删餘詩一卷　胡敬撰。

潘少白古文八卷　詩五卷　潘諮撰。

太鶴山人集十三卷　端木國瑚撰。

秋室集十卷　楊鳳苞撰。

沈四山人詩録六卷　沈謹學撰。

晚聞居士遺集九卷　王宗炎撰。

三長物齋詩略五卷　文略六卷　黃本驥撰。

筠軒文鈔八卷　詩鈔四卷　洪頤煊撰。

鶴泉文鈔二卷　戚學標撰。

研六室文鈔十卷　補遺一卷　胡培翬撰。

石經閣文集八卷　拜竹詩龕詩存四卷　馮登府撰。

悔過齋文集七卷　續集七卷　補遺一卷　顧廣譽撰。

白鵠山房詩選四卷　駢體文鈔二卷　徐熊飛撰。

靈芬館詩集三十五卷　郭麐撰。

游道堂集四卷　朱彬撰。

真有益齋文編十卷　詩娛室詩二十四卷　息耕草堂詩十八卷　黃安濤撰。

桂馨堂詩集八卷　張廷濟撰。

倚晴樓詩集十二卷　續集四卷　黃燮清撰。

後甲集二卷　章大來撰。

陶文毅公全集六十四卷　陶澍撰。

養一齋詩文集二十五卷　潘德輿撰。

適齋居士集四卷　舒敏撰。

餘暇集二卷　特衣順撰。

寸心知堂存稿六卷　湯金釗撰。

秋水堂文集六卷　詩集六卷　莊亨陽撰。

羣峰集五卷　沈清端撰。

岑華居士詩八卷　鳳巢山樵詩十一卷　文集四卷　吳慈鶴撰。

曬書堂文集十二卷　外集二卷　別集一卷　郝懿行撰。

汪子文錄十卷　詩錄十卷　汪縉撰。

功甫小集十一卷　東津館文集三卷　潘曾沂撰。

知止堂文集八卷　詩稿十二卷　朱綬撰。

邃雅堂文集十卷　姚文田撰。

蘊素閣文集八卷　詩集十二卷　盛大士撰。

小萬卷齋文稿二十四卷　詩稿三十二卷　朱琦撰。

野雲詩鈔十二卷　鮑文逵撰。

獨學廬初集九卷　二集九卷　石韞玉撰。

與稽齋叢稿十八卷　吳翌鳳撰。

天真閣集五十四卷　外集六卷　孫原湘撰。

劉禮部集二十卷　劉逢祿撰。

陶山詩錄二十八卷　唐仲冕撰。

貞定先生遺集四卷　莫與儔撰。

印雪軒文鈔三卷　詩鈔十六卷　俞鴻漸撰。

儆居集十卷　黃式三撰。

問奇室詩集二卷　續集一卷　文集一卷　蔣曰豫撰。

見星廬集九卷　林家桂撰。

釣魚篷山館集六卷　劉佳撰。

以上乾隆、嘉慶朝

舊香居文稿十卷　王寶仁撰。

仙樵詩鈔十二卷　劉文麟撰。

抱沖齋詩集三十六卷　斌良撰。

求是山房遺集四卷　鄂恒撰。

柏梘山房文集十六卷　續集一卷　詩集十卷　駢文二卷　梅曾亮撰。

小安樂窩文集四卷　詩存二卷　張海珊撰。

怡志堂集八卷　朱琦撰。

求自得之室文鈔十二卷　尚絅廬詩存二卷　吳嘉賓撰。

龍壁山房文集十卷　詩鈔十二卷　王拯撰。

通甫類稿四卷　續編二卷　詩存四卷　詩存之餘二卷　魯一同撰。

玉筍山房詩集四卷　文一卷　顧廷綸撰。

蒼筤文集六卷　孫鼎臣撰。

因寄軒文初集十卷　二集六卷　補遺一卷　管同撰。

儀衛軒文集十二卷　遺詩五卷　方東樹撰。

月齋居士文集八卷　張穆撰。

傳經室文集十卷　賦一卷　臨嘯閣詩鈔五卷　朱駿聲撰。

味經山館文集四卷　續集二卷　戴鈞衡撰。

萬善花室文集六卷　續集一卷　詩集五卷　方履籛撰。

孫仰晦先生文集七卷　孫希朱撰。

味無味齋詩鈔七卷　文一卷　駢文二卷　董兆熊撰。

杼華館駢體文四卷　董基誠撰。

董方立文甲集二卷　乙集二卷　董祐誠撰。

柴辟亭詩集四卷　十經齋文集四卷　沈濤撰。

衍石齋紀事稿十卷　續稿十卷　刻楮集四卷　旅逸小稿二卷
　　錢儀吉撰。

甘泉鄉人文稿二十四卷　錢泰吉撰。

安吳四種三十六卷　包世臣撰。

古微堂內集三卷　外集七卷　詩集六卷　魏源撰。

介存齋詩六卷　文稿二卷　周濟撰。

弇榆山房詩略十卷　許喬林撰。

紅豆樹館詩集十四卷　陶樑撰。

定盦文集三卷　續集四卷　文詩集補二卷　雜詩一卷　文集
　　補編四卷　龔自珍撰。

復莊詩問三十四卷　駢體文榷八卷　姚燮撰。

青溪舊屋文集十卷　劉文淇撰。

齊物論齋文集六卷　董士錫撰。

悔廬文鈔六卷　張崇蘭撰。

密梅花館詩録二卷　焦廷琥撰。

李文恭公文集十六卷　詩集八卷　李星沅撰。

胡文忠公集八十八卷　胡林翼撰。

倭文端公遺書十二卷　倭仁撰。

吳文節公遺集八十卷　吳文鎔撰。

曾文正公文集四卷　詩集三卷　曾國藩撰。

曾忠襄公集三十二卷　曾國荃撰。

唐確慎公集十卷　唐鑑撰。

拙修集十卷　吳廷棟撰。

習苦齋詩文集十二卷　戴熙撰。

沈文忠公集十卷　沈兆霖撰。

盾鼻餘瀋一卷　左宗棠撰。

羅忠節公詩文集八卷　羅澤南撰。

彭剛直公詩集八卷　彭玉麟撰。

江忠烈公遺集十卷　江忠源撰。

王壯武公遺集二十五卷　王鑫撰。

張文節公遺詩一卷　張洵撰。

彭文敬集四十四卷　彭蘊章撰。

躬恥集文鈔十四卷　後編六卷　詩鈔十四卷　後編十一卷　宗稷辰撰。

受恆受漸齋集十二卷　沈曰富撰。

半巖廬文集二卷　詩集二卷　邵懿辰撰。

遜學齋文鈔十卷　詩鈔十卷　孫衣言撰。

一燈精舍甲部稿五卷　何秋濤撰。

顯志堂文集十二卷　馮桂芬撰。

思益堂古詩二卷　駢文二卷　詩集六卷　周壽昌撰。

昨非集四卷　劉熙載撰。

斅藝齋文存三卷　詩存一卷　外集一卷　鄒漢勛撰。

蓬萊閣詩錄四卷　陳克家撰。

養晦堂文集十卷　詩集二卷　劉蓉撰。

水流雲在館詩鈔六卷　宋晉撰。

玉井山館文略五卷　文續二卷　詩十五卷　許宗衡撰。

經德堂文集七卷　浣月山房詩集五卷　龍啟瑞撰。

柈湖文錄八卷　吳敏樹撰。

聽松廬詩略二卷　張維屏撰。

海陀華館文集一卷　詩集三卷　何若瑤撰。

面城樓集十卷　曾釗撰。

樂志堂文集十八卷　詩集十二卷　續集三卷　譚瑩撰。

修本堂稿一卷　月亭詩鈔一卷　_{林伯桐撰。}

東塾集六卷　_{陳澧撰。}

守柔齋詩集八卷　_{蘇廷魁撰。}

斯未信齋文編十二卷　_{徐宗幹撰。}

虹橋老人遺稿九卷　_{秦緗業撰。}

未灰齋文集八卷　_{徐鼐撰。}

翠巖室文稿二卷　詩鈔五卷　_{韓弼元撰。}

楓南山館遺集八卷　_{莊受祺撰。}

漱六山房全集十三卷　_{吳昆田撰。}

無近名齋文鈔四卷　_{彭翊撰。}

閎菪草堂遺草四卷　_{王拓撰。}

意苕山館詩稿十六卷　_{陸嵩撰。}

楸花盦詩二卷　_{葉廷琯撰。}

袖海樓文錄六卷　_{黃汝成撰。}

邵亭詩鈔六卷　遺詩八卷　遺文八卷　_{莫友芝撰。}

賓萌集六卷　外集四卷　春在堂雜文二卷　續編五卷　三編
　四卷　四編八卷　五編八卷　六編十卷　詩編二十三卷
　詁經精舍自課文二卷　_{俞樾撰。}

武陵山人雜著一卷　_{顧觀光撰。}

微尚齋遺文一卷　_{馮志沂撰。}

東洲草堂詩鈔二十七卷　_{何紹基撰。}

大小雅堂詩十卷　_{邵堂撰。}

西漚全集十卷　_{李惺撰。}

簡學齋詩文鈔十二卷　_{陳沆撰。}

小重山房初稿二十四卷　_{張祥河撰。}

好雲樓集二十八卷　_{李聯琇撰。}

易畫軒詩錄二卷　_{王學浩撰。}

依舊草堂遺稿一卷　費丹旭撰。

海秋詩集二十六卷　後集二卷　湯鵬撰。

如舟吟館詩鈔一卷　瑞常撰。

大小雅堂集一卷　承齡撰。

佩蘅詩鈔十二卷　寶鋆撰。

饅龡亭集三十二卷　祁雋藻撰。

澄懷書屋詩草四卷　穆彰阿撰。

香南居十集六卷　崇恩撰。

通藝閣全集四十三卷　姚椿撰。

梅麓詩鈔十八卷　文鈔八卷　齊彥槐撰。

巢經巢詩鈔九卷　鄭珍撰。

積石詩存十八卷　張履撰。

木鷄書屋文鈔三十卷　黃金臺撰。

静遠堂集三卷　陳壽熊撰。

健修堂詩集二十二卷　邊浴禮撰。

澄懷堂詩集十四卷　陳裴之撰。

勿二三齋詩一卷　孔廣牧撰。

琴隱園詩集三十六卷　湯貽汾撰。

竹石居文草四卷　詩草四卷　童華撰。

李文忠公全集一百六十三卷　李鴻章撰。

求補拙齋文略二卷　詩略二卷　黎培敬撰。

大潛山房詩鈔一卷　劉銘傳撰。

周武壯公遺書九卷　周盛傳撰。

曾惠敏公詩文集九卷　曾紀澤撰。

結一廬遺文二卷　朱學勤撰。

心白日齋集四卷　尹耕雲撰。

養雲山莊文集四卷　詩集四卷　劉瑞芬撰。

湖塘林館駢體文二卷　白華絳趺閣詩集十卷　李慈銘撰。

拙尊園文稿六卷　黎庶昌撰。

有恆心齋集四十四卷　程鴻詔撰。

謫麐堂文集四卷　戴望撰。

復堂文四卷　文續五卷　詩十一卷　譚獻撰。

舒藝室雜著甲編二卷　乙編二卷　賸稿一卷　詩存七卷　張文
虎撰。

仰蕭樓文集一卷　張星鑑撰。

通齋詩集五卷　外集一卷　文集二卷　垂金蔭綠軒詩鈔二卷
圖珑巖詩鈔四卷　蔣超伯撰。

曉瀛遺稿二卷　蔣繼伯撰。

賭棊山莊集七卷　謝章鋌撰。

陶堂遺文一卷　志微錄五卷　高心夔撰。

毋自欺室文集十卷　王炳燮撰。

劍虹居文集二卷　詩集二卷　秦煥撰。

天岳山館文鈔四十卷　李元度撰。

歸盦文稿八卷　葉裕仁撰。

悔餘庵詩稿十三卷　文稿九卷　何栻撰。

攜雪堂全集四卷　吳可讀撰。

存素堂詩文十三卷　錢寶琛撰。

集義齋詠史詩鈔六十卷　羅惇衍撰。

倚晴樓詩集十二卷　續集四卷　黃燮清撰。

小匏庵詩存六卷　吳仰賢撰。

汀鷺文鈔三卷　詩鈔二卷　詩餘一卷　楊傳第撰。

蒿庵遺集十二卷　莊棫撰。

小酉腴山房全集二十卷　吳大廷撰。

百柱堂詩稿八卷　王柏心撰。

亭甫詩選八卷　張際亮撰。

悔庵詩鈔十五卷　汪士鐸撰。

煙嶼樓文集四十卷　詩集十六卷　徐時棟撰。

栢堂集七十一卷　方宗誠撰。

琴鶴山房遺稿八卷　趙銘撰。

仙心閣詩鈔八卷　彭慰高撰。

古紅梅閣遺集八卷　劉履芬撰。

漸西村人詩初集十三卷　安般簃詩續鈔十卷　水明樓詩一卷
　于湖文録六卷　袁昶撰。

澤雅堂詩集六卷　文集八卷　施補華撰。

寒松閣詩集四卷　張鳴珂撰。

漢孳室文鈔四卷　陶方琦撰。

縵雅堂駢體文八卷　王貽壽撰。

扁善堂文存二卷　詩存一卷　鄧嘉緝撰。

鄭東父遺書六卷　鄭杲撰。

濂亭文集八卷　張裕釗撰。

儀顧堂集二十卷　陸心源撰。

枕經堂文鈔二卷　駢文二卷　方朔撰。

虛受堂文集十六卷　王先謙撰。

庸盦全集十五卷　薛福成撰。

吳摯甫文集四卷　詩集一卷　吳汝綸撰。

函雅堂集二十四卷　王詠霓撰。

誦芬詩略三卷　黃炳垕撰。

意園文略一卷　鬱華閣遺詩三卷　盛昱撰。

靈石山房詩草二卷　貴成撰。

藤香館詩詞刪存六卷　薛時雨撰。

退補齋詩存十六卷　二編七卷　文存十二卷　二編五卷　胡鳳

丹撰。

寶韋齋類稿一百卷　李桓撰。

香禪紀游草四卷　潘鍾瑞撰。

汲菴文存六卷　詩存八卷　楊象濟撰。

小芋香館遺集十二卷　李杭撰。

蘿摩亭遺詩卷　喬松年撰。

養知書屋文集二十八卷　詩集十五卷　郭嵩燾撰。

句溪雜著二卷　陳立撰。

廣經齋文鈔一卷　劉恭冕撰。

學詁齋文集二卷　薛壽撰。

心巢文録一卷　成蓉鏡撰。

頤情館聞過集十二卷　宗源瀚撰。

元同文鈔六卷　黃以周撰。

愛經居雜著四卷　黃以恭撰。

崇蘭堂詩存十卷　張預撰。

玉鑑堂詩存一卷　櫟寄詩存一卷　汪曰楨撰。

味靜齋詩存八卷　徐嘉賓撰。

范伯子詩集十九卷　范當世撰。

通雅堂詩鈔十卷　施山撰。

伏敔堂詩録十五卷　續録四卷　江湜撰。

隨安廬文集六卷　詩集九卷　亢樹滋撰。

西圃集十卷　潘遵祁撰。

佩弦齋文存三卷　詩存一卷　朱一新撰。

姚震甫文略十卷　姚輿撰。

榴石山房遺稿十卷　吳存義撰。

嘯古堂文集八卷　蔣敦復撰。

讀有用書齋雜著二卷　韓應陛撰。

秋蟪吟館詩鈔六卷　文鈔一卷　金和撰。

冬暄草堂詩鈔二卷　陳豪撰。

訓真書屋詩存二卷　黃國瑾撰。

鮮庵遺稿一卷　黃紹箕撰。

縵庵遺稿一卷　黃紹第撰。

籀膏述林十卷　孫詒讓撰。

人境廬詩十一卷　黃遵憲撰。

雁影樓詩存一卷　李希聖撰。

賀先生文集四卷　賀濤撰。

張文襄公全集二百四十卷　張之洞撰。

雄白文集一卷　張宗瑛撰。

望雲山房文集三卷　詩集一卷　安維峻撰。

瞿文慎公詩選遺墨四卷　瞿鴻璣撰。

題曾文正公祠百詠一卷　朱孔彰撰。

蒿盦類稿三十二卷　馮煦撰。

　　　以上道光、咸豐、同治、光緒、宣統朝

六宜樓稿一卷　綠華草一卷　吳宗愛撰。

拙政園詩集二卷　陳之遴室徐燦撰。

徐都講詩一卷　徐昭華撰。

芸香巢賸稿一卷　查爲仁室金玉元撰。

挹青軒詩稿一卷　華浣芳撰。

玉窗遺稿一卷　葛宜撰。

廎書樓稿一卷　陳毅撰。

蘊真軒詩草二卷　高其倬室蔡琬撰。

培遠堂詩四卷　畢沅母張藻撰。

蠹牕詩集十四卷　張英女令儀撰。

柴車倦游集二卷　蔣士銓母鍾令嘉撰。

晚晴樓詩草二卷　陸錫熊母曹錫淑撰。

長離閣集一卷　孫星衍室王采薇撰。

寫韻軒小稿二卷　王芑孫室曹貞秀撰。

五真閣吟稿一卷　陸繼輅室錢惠尊撰。

長真閣集七卷　孫原湘室席佩蘭撰。

古春軒詩文鈔二卷　許宗彥室梁德繩撰。

閨中文存一卷　郝懿行室王照圓撰。

梯仙閣餘課一卷　曹一士室陸鳳池撰。

如亭詩草一卷　鐵保室瑩川撰。

芳蓀書屋存稿四卷　吳瑛撰。

澹仙詩鈔四卷　文鈔一卷　熊璉撰。

蘭居吟草一卷　陳玉瑛撰。

繡閒集一卷　浦淡英撰。

問花樓遺稿三卷　許權撰。

傳書樓詩稿一卷　金順撰。

南樓吟稿二卷　徐映玉撰。

盈書閣遺稿一卷　袁棠撰。

素文女子遺稿一卷　袁機撰。

樓居小草一卷　袁杼撰。

浣青詩草一卷　錢維城女孟鈿撰。

纕茞閣遺稿一卷　左如芬撰。

蘊玉樓集四卷　屈秉筠撰。

紅香閣集二卷　麟慶母惲珠撰。

繡餘小草一卷　歸懋儀撰。

起雲閣詩鈔四卷　鮑之蘭撰。

清娛閣吟稿六卷　鮑之蕙撰。

三秀齋詩鈔二卷　鮑之芬撰。

聽秋軒詩集四卷　駱綺蘭撰。

不櫛吟三卷　潘素心撰。

鼓瑟樓偶存一卷　葉魚魚撰。

貽硯齋詩稿四卷　孫蕙意撰。

珠樓遺稿一卷　徐貞撰。

蘭如詩鈔一卷　葉蕙心撰。

蘭韞詩草四卷　徐裕馨撰。

梅花繡佛齋草一卷　畢汾撰。

秋紅丈室遺詩一卷　王曇室金禮嬴撰。

澹鞠軒詩稿四一卷　張紹英撰。

緯靑遺稿一卷　張姍英撰。

鄰雲友月之居詩集四卷　餐楓館文集三卷　張紈英撰。

綠槐書屋詩稿五卷　張綸英撰。

自然好學齋詩鈔十卷　陳裴之室汪端撰。

芸香閣詩稿一卷　黃婉璚撰。

濾月軒集七卷　趙棻撰。

小維摩集一卷　江珠撰。

繡篋小集四卷　朱綬室高篛撰。

天游閣集五卷　貝勒奕繪側室顧太清撰。

芸香閣遺稿二卷　宗室博爾濟吉特妻喀爾喀部那遜蘭保撰。

清足居集一卷　鄧瑜撰。

　　　以上閨閣

寶雲堂集四卷　南潛撰。

完玉堂詩集十卷　元璟撰。

冬關詩鈔六卷　通復撰。

懶齋別集十四卷　通門撰。

雙樹軒詩鈔一卷　湛汛撰。①

香域內外集十二卷　敏膺撰。

敲空遺響十二卷　如乾撰。

徧行堂續集十六卷　今釋撰。

石堂集七卷　元玉撰。

芝厓詩集二卷　超凡撰。

流香一覽一卷　明開撰。

話墮集六卷　篆玉撰。

洞庭詩稿六卷　大鐙撰。

笠堂詩草一卷　福紅撰。

倚杖吟五卷　古風撰。

南礀吟草一卷　實月撰。

玠虛大師遺集三卷　明中撰。

法喜集三卷　唾餘集三卷　禪一撰。

水明山樓集四卷　寶懿撰。

借菴詩草十二卷　清恆撰。

竹牕賸稿一卷　伴霞撰。

口頭吟一卷　龍池撰。

钁頭吟一卷　起信撰。

茶夢山房吟草二卷　達宣撰。

古樹軒錄一卷　嘯顛撰。

小綠天菴吟草一卷　達受撰。

　　以上方外

---

①　"汛"，原作"汎"，據《清史稿艺文志及補编》、《四庫全書總目》著錄本書所題作者名改。

宋潘閬　逍遥集一卷

趙湘　南陽集六卷

夏竦　文莊集三十六卷

宋庠　宋元憲集四十卷

宋祁　宋景文集六十二卷　補遺二卷　附録一卷

胡宿　文恭集五十卷　補遺一卷

宋强　祠部集三十六卷

王珪　華陽集六十卷　附録十卷

金君卿　金氏文集二卷

劉敞　公是集五十四卷

劉攽　彭城集四十卷

陳舜俞　都官集十四卷

鄭獬　鄖溪集三十卷

吕陶　淨德集三十卷

劉摯　忠肅集二十卷

王安禮　王魏公集八卷

李廌　濟南集八卷

張舜民　畫墁集八卷

陸佃　陶山集十四卷

華鎮　雲溪居士集三十卷

李復　潏水集十六卷

劉跂　學易集八卷

畢仲游　西臺集二十卷

吳則禮　北湖集五卷①

---

① “湖”，原作“湘”，據《清史稿藝文志及補編》、《四庫全書》本書所題書名改。

謝逸　溪堂集十卷

李彭　日涉園集十卷

呂南公　灌園集二十卷

慕容彥逢　摛文堂集十五卷　附錄一卷

許翰　襄陵集十二卷

毛滂　東堂集十卷

周行己　浮沚集八卷

趙鼎臣　竹隱畸士集二十卷

洪朋　洪龜父集二集

李新　跨鼇集三十卷

李若水　忠愍集三卷

王安中　初寮集八卷

許景衡　橫塘集二十卷

洪芻　老圃集二卷

葛勝仲　丹陽集二十四卷

張守　毘陵集十五卷

汪藻　浮溪集三十六卷

李光　莊簡集十八卷

趙鼎忠　正德文集十卷

張擴　東牕集十六卷

翟汝文　忠惠集十卷　附錄一卷

劉才邵　樵溪居士集十二卷

呂頤浩　忠穆集八卷

張嵲　紫微集二十六卷

王洋　東牟集十四卷

王之道　相山集三十卷

黃彥平　三餘集四卷

李正民　大隱集十卷

洪皓　鄱陽集四卷

李流謙　澹齋集十八卷

朱翌　灊山集三卷

郭印　雲溪集十二卷

綦崇禮　北海集四十六卷　附錄三卷

李處權　崧庵集六卷

吳可　藏海居士集二卷

曾幾　茶山集八卷

張元幹　蘆川歸來集十卷　附錄一卷

鄧深　鄧紳伯集二卷

仲并　浮山集十卷

吳芾　湖山集十卷

汪應辰　文定集二十四卷

陳長方　唯室集四卷　附錄一卷

王之望　漢濱集十六卷

曹協　雲莊集五卷

林季仲　竹軒雜箸六卷

王質　雪山集十六卷

李石　方舟集二十四卷

喻良能　香山集十六卷

崔敦禮　宮教集十二卷

陳棣　蒙隱集二卷

衛博　定庵類稿四卷

李呂　澹軒集八卷

虞儔　尊白堂集六卷

袁說友　東堂集二十卷

許及之　涉齋集十八卷

趙蕃　乾道稿一卷　淳熙稿二十卷　章泉稿五卷

彭龜年　止堂集二十卷

曾丰　緣督集二十卷

袁燮　絜齋集二十四卷

蔡勘　定齋集二十卷

員興宗　九華集二十五卷　附録一卷

趙善括　應齋雜箸六卷

李洪　芸庵類稿六卷

張鎡　南湖集十卷

韓元吉　南澗甲乙稿二十二卷

章甫　自鳴集六卷

楊冠卿　客亭類稿十五卷

史堯弼　蓮峰集十卷

孫應時　燭湖集二十卷　附編二卷

曹彥約　昌谷集二十二卷

廖行之　省齋集十卷

周南　山房集九卷

衛涇　後榮集二十卷

度正　性善堂稿十五卷

葛紹體　東山詩選二卷

袁甫　蒙齋集十八卷

吳泳　鶴林集四十卷

許應龍　東澗集十四卷

戴栩　浣川集十卷

陳元晉　漁墅類稿八卷

程公許　滄洲塵缶編十四卷

蘇洞　冷然齋集八卷

韓淲　澗泉集二十卷

陳耆卿　篔牕集十卷

王邁　臞軒集十六卷

包恢　敝帚稿略八卷

趙汝騰　庸齋集六卷

趙孟堅　彝齋文編四卷

張侃　張氏拙軒集六卷

唐士恥　靈巖集十卷

徐元杰　楳埜集十二集

高斯得　恥堂存稿八卷

陽枋　字溪集十一卷　附錄一卷

釋文珦　潛山集十二卷

劉辰翁　須溪集十卷

胡仲弓　葦航漫游稿四卷

馬廷鸞　碧梧玩芳集二十四卷

舒岳祥　閬風集十二卷

衛宗武　秋聲集六卷

董嗣杲　廬山集五卷　英溪集一卷

家鉉翁　則堂集六卷

連文鳳　百正集三卷

陳杰　自堂存稿四卷

蒲壽宬　心泉學詩稿六卷

金王寂　拙軒集六卷

元張養浩　歸田類稿二十四卷

艾性夫　剩語二卷

陸文圭　墻東類稿二十卷

趙文　青山集八卷

胡祇遹　紫山大全集二十六卷

楊宏道　小亨集六卷

魏初　青崖集五卷

劉將孫　養吾齋集三十二卷

耶律鑄　雙溪醉飲集八卷

滕安上　東庵集四卷

程端禮　畏齋集六卷

姚燧　牧庵文集三十六卷

陳宜甫　陳秋巖詩集二卷

王旭　蘭軒集十六卷

張之翰　西巖集二十卷

劉敏中　中庵集二十卷

王結　王文忠集六卷

蕭㪺　勤齋集八卷

同恕　榘庵集十五卷

王沂　伊濱集二十四卷

程端學　積齋集五卷

朱晞顏　瓢泉吟稿五卷

張仲深　子淵詩集六卷

劉仁本　羽庭集六卷

吳皋　吾吾類稿三卷

周巽　性情集六卷

胡行簡　樗隱集六卷

明謝肅　密庵集八卷

錢宰　臨安集六卷

藍仁　藍山集六卷

藍智　藍澗集六卷

鄭潛　樗庵類稿二卷

龔敩　鵝湖集九卷　<small>以上乾隆時敕輯。</small>

宋晏殊　元獻遺文一卷　<small>胡亦堂輯。</small>

宋尤袤　梁溪遺稿一卷　<small>尤侗輯。</small>

　　　以上輯佚

總集類

古文淵鑒六十四卷　<small>康熙二十四年，徐乾學等奉敕編。</small>

唐宋文醇五十八卷　<small>高宗御定。</small>

全唐文一千卷　<small>嘉慶十九年敕編。</small>

清文穎一百二十四卷　<small>乾隆十二年，張廷玉等奉敕編。</small>

清續文穎一百八卷　<small>嘉慶十五年敕編。</small>

全唐詩九百卷　<small>康熙四十六年，彭定求等奉敕編。</small>

唐詩三十二卷　附錄一卷　<small>康熙五十二年，聖祖御選。</small>

四朝詩三百十二卷　<small>康熙四十八年，張豫章等奉敕編。</small>

全金詩七十四卷　<small>郭元鈺原本，康熙五十年奉敕刊。</small>

佩文齋詠物詩選四百八十六卷　<small>康熙四十五年，張玉書等奉敕編。</small>

歷代題畫詩一百二十卷　<small>康熙四十六年，陳邦彥等奉敕編。</small>

唐宋詩醇四十七卷　<small>高宗御定。</small>

熙朝雅頌集首集二十六卷　正集一百八卷　<small>嘉慶九年，鐵保等奉敕編。</small>

千叟宴詩四卷　<small>康熙六十一年敕編。</small>

千叟宴詩三十四卷　<small>乾隆四十九年敕編。</small>

重舉千叟宴詩三十四卷　<small>乾隆五十五年敕編。</small>

南巡召試錄三卷　<small>乾隆時，謝墉等奉敕編。</small>

上書房消寒詩一卷　嘉慶時，董觀國等奉敕編。

三元詩一卷　附　三元喜讌詩一卷　嘉慶二十五年，陸錫熊奉敕編。

歷代賦彙一百四十卷　外集二十卷　逸句二卷　補遺二十二卷　康熙四十五年，陳元龍等奉敕編。

四書文四十一卷　乾隆元年，方苞奉敕編。

文選舉正二卷　陳景雲撰。

文選理學權輿八卷　汪師韓撰。

文選理學權輿補一卷　文選李注補正四卷　文選考異四卷　孫志祖撰。

文選考異十卷　胡克家撰。

文選音義八卷　余蕭客撰，陳彬華補輯。

文選集釋二十四卷　朱珔撰。

選學膠言二十卷　張雲璈撰。

文選旁證四十六卷　梁章鉅撰。

文選箋正三十二卷　胡紹煐撰。

讀選意籤一卷　陳僅撰。

選學規李一卷　選學規何一卷　徐攀鳳撰。

文選疏解十九卷　顧施楨撰。

選詩定論十八卷　吳湛撰。

古詩十九首說一卷　徐昆撰。

古詩十九首注一卷　卿彬撰。

古詩十九首解一卷　張庚撰。

古詩十九首詳解二卷　饒學斌撰。

文選古字通疏證六卷　薛傳均撰。

文選考音一卷　趙晉撰。

文選編珠一卷　石蘊玉撰。

文選通段字會四卷　杜宗玉撰。

文選課虛四卷　杭世駿撰。

玉臺新詠考異十卷　紀容舒撰。

玉臺新詠箋注十卷　吳兆宜撰。

才調集補注十卷　殷元勳、宋邦綏同撰。

三體唐詩補注六卷　高士奇撰。

唐詩鼓吹箋注十卷　注，錢朝鼐、王俊臣撰；箋，王清臣、陸貽典撰。

詩紀匡謬一卷　馮舒撰。

全上古三代秦漢三國六朝文七百四十六卷　嚴可均輯。

唐文粹補遺二十六卷　郭麐輯。

唐文拾遺八十卷　續十六卷　陸心源輯。

宋文選三十卷　顧宸編。

宋四大文選八卷　陶珽編。

南宋文範七十卷　莊仲方編。

南宋文録二十四卷　董兆熊編。

遼文萃七卷　王仁俊輯。

金文雅十卷　莊仲方編。

金文最一百二十卷　張金吾輯。

南漢文字四卷　梁廷枏編。

西夏文綴二卷　王仁俊輯。

明文海四百八十二卷　明文授讀六十二卷　黃宗羲編。

明文在一百卷　薛熙編。

國朝古文彙鈔初集一百七十六卷　二集一百卷　朱琦編。

國朝文録八十二卷　續録六十六卷　李祖陶編。

國朝文録一百卷　姚椿編。

國朝文徵四十卷　吳翌鳳編。

國朝古文正的七卷　楊彝珍編。

國朝六家文鈔八卷　劉執玉編。

三家文鈔三十二卷　宋犖編。

湖海文傳七十五卷　王昶編。

切問齋文鈔三十卷　陸燿編。

皇朝經世文編一百二十卷　賀長齡編。

皇朝經世文續編一百二十卷　盛康編。

唐宋八大家文鈔十九卷　張伯行編。

唐宋八大家全集錄五十一卷　儲欣編。

唐宋八大家文讀本三十卷　沈德潛編。

唐宋八家文分體初集八卷　二集八卷　三集八卷　汪份編。

金元明八大家文選五十三卷　李祖陶編。

斯文正統十二卷　刁包編。

古文雅正十四卷　蔡世遠編。

古文精藻二卷　李光地編。

續古文雅正十四卷　林育席編。

文章正宗讀本十六卷　王翰熙編。

文章練要十卷　王源編。

古文近道集二卷　王贊元編。

古文約編十卷　倪承茂編。

乾坤正氣集五百七十四卷　潘錫恩編。

古文詞類纂四十八卷　姚鼐編。

古文詞略二十四卷　梅曾亮編。

續古文詞類纂三十四卷　王先謙編。

續古文詞類纂二十八卷　黎庶昌編。

經史百家雜鈔二十卷　經史百家簡編二卷　鳴原堂論文二卷
　曾國藩編。

續古文苑二十卷　孫星衍輯。

金石文鈔八卷　趙紹祖編。

八旗文經五十六卷　作者考一卷　盛昱編。

燕臺文選八卷　補遺一卷　田茂遇編。

容城三賢集十卷　張斐然編。

金陵文鈔十六卷　陳作霖編。

七十二峰足徵集一百一卷　吳定璋編。

松陵文録二十四卷　凌淦編。

南昌文考二十卷　徐午編。

臨川文獻八卷　胡亦堂編。

豐陽人文紀略十卷　聶芳聲編。

金華文略二十卷　王崇炳編。

當湖文繫初編二十八卷　朱壬林編。

縉雲文徵二十卷　補編一卷　湯成烈編。

湖南文徵一百九十卷　羅汝懷編。

中州文徵五十四卷　蘇源生編。

續垂棘編三集十卷　四集九卷　范鄗鼎編。

滇南文略四十七卷　袁文揆、張登瀛編。

楊氏五家文鈔十二卷　楊長世及從子以叡、以儆從孫兆鳳、兆年撰。

義門鄭氏奕葉集十卷　鄭爾垣編。

申氏拾遺集二卷　申居鄖編。

汪氏傳家集一百三十卷　汪琬編。

三陶集二十二卷　楊沂孫編。

沈氏三代家言十五卷　沈中祐編。

彭氏三先生集七卷　彭祖賢編。

安吉施氏遺著七卷　戴翊清、朱廷變同編。

錢氏四先生集十五卷　不著編人。

駢體文鈔三十一卷　李兆洛編。

唐駢體文鈔十七卷　陳均編。

宋四六選二十四卷　彭元瑞、曹振鏞同編。

駢體正宗十二卷　曾燠編。

駢文類苑十四卷　姚燮編。

八家四六八卷　孫星衍編。

十家四六十卷　王先謙編。

歷朝賦格十五卷　陸葇編。

歷朝賦楷九卷　王修玉編。

賦彙錄要箋略十卷　吳光昭撰。

七十家賦鈔五卷　張惠言編。

藏庋集十六卷　周在浚編。

尺牘嚶鳴集十二卷　王相編。

顏氏家藏尺牘四卷　姓氏考一卷　潘仕成編。

明尺牘墨華三卷　黃本驥編。

宮閨文選三十五卷　周壽昌編。

漢詩音注五卷　漢詩評五卷　李因篤撰。

漢詩統箋三卷　陳本禮撰。

唐詩選十七卷　唐人萬首絕句選七卷　唐賢三昧集三卷　王士禛編。

唐賢三昧集箋注三卷　吳煊、胡棠撰。

全唐詩錄一百卷　徐焯編。

唐四家詩選八卷　汪立名編。

說唐詩二十三卷　戴明說撰。

續三體唐詩八卷　唐詩掞藻八卷　高士奇撰。

唐詩叩彈集十二卷　續集三卷　杜詔、杜庭珠同編。

唐詩貫珠箋釋六十卷　胡以梅編。

唐詩別裁集三十卷　沈德潛編。

讀雪山房唐詩選四十卷　序例一卷　管世銘編。

全五代詩一百卷　李調元編。

宋詩鈔一百六卷　吳之振編。

宋詩刪二十五卷　顧貞觀編。

宋百家詩存二十八卷　曹廷棟編。

宋詩選四十九卷　曹學佺編。

元詩選三集一百十一卷　元詩選癸集十卷　顧嗣立編。

列朝詩集六集八十一卷　錢謙益編。

明詩綜一百卷　朱彝尊編。

明詩別裁集十二卷　沈德潛編。

明三十家詩選二集十六卷　閨秀汪端編。

古詩選三十二卷　王士禛編。

詩原二十五卷　顧大申編。

歷朝詩約選九十二卷　劉大櫆編。

古詩録十二卷　張琦編。

十六家詩鈔二十卷　曾國藩編。

宋元詩會一百卷　陳焯編。

宋金元詩永二十卷　補遺二卷　吳綺編。

宋金元詩選八卷　吳翌鳳編。

宋元四家詩選四卷　戴熙編。

清詩選三十卷　孫鋐編。

清詩初集十二卷　蔣鑨等編。

盛朝詩選初集十二卷　顧施楨編。

本朝應制琳琅集十卷　鄒一桂編。

本朝館閣詩二十卷　阮學洪編。

國朝廣颺集注十六卷　張日珣、邱允德同編。

國朝應制詩粹四卷　許大綸編。

清詩彭吹四卷　周佑予編。

國雅集二卷 傅王露編。

國朝詩別裁集三十六卷 沈德潛編。

國朝正雅集一百卷 符葆森編。

國朝詩十卷 外編一卷 補六卷 吳翌鳳編。

國朝詩的六十三卷 陶煊等編。

國朝詩乘十卷 劉然編。

國朝詩鐸二十六卷 張應昌編。

國朝詩隱一卷 不著編人氏名。

國朝詩萃初集十卷 二集四卷 潘瑛等編。

國朝六家詩鈔八卷 劉執玉編。

國初十家詩鈔七十五卷 王相編。

四家詩鈔二十八卷 王企靖編。

詩持十卷 廣集八十九卷 魏憲編。

陸陳二先生詩鈔十六卷 蒯德模編。

二家詩鈔二十卷 邵長蘅編。

七子詩選十四卷 沈德潛編。

八家詩選八卷 吳之振編。

二馮詩集九卷 胡思敬編。

國朝四家詩集四卷 葉變編。

詩觀十二卷 鄧漢儀編。

明遺民詩十六卷 卓爾堪編。

感舊集十六卷 王士禎編。

同人集十二卷 冒襄編。

舊懷集二卷 馮舒編。

篋衍集十二卷 陳維崧編。

溯洄集十卷 魏裔介編。

近光集二十四卷 汪士鋐編。

羣雅集十二卷 李振裕編。

高言集四卷 田茂遇、董俞同編。

于野集七卷 王原編。

友聲集七卷 賴鯤升編。

續同人集十三卷 袁枚編。

金蘭續集一卷 徐堅編。

八表停雲集三十卷 嚴長明編。

羣雅集四十卷　二集九卷 王豫編。

清尊集十六卷 汪遠孫編。

刻燭集一卷 曹仁虎編。

盍簪集十卷 劉國楷編。

過日集十六卷 曾燦編。

幽光集一卷 方登賢編。

沈珠集一卷 陳辰生編。

金鈴集十二卷 張綸編。

天籟集一卷 鄭旭旦編。

慰託集十六卷 黃安濤編。

卬須集八卷　續集六卷　又續集六卷　懷舊集十二卷　續集
　六卷　又續集二卷 吳翌鳳編。

同調集一卷 龍鐸、舒位同編。

拜颺集八卷 馬俊臣編。

蘭言集二十卷 謝塈編。

蘭言集十二卷 趙紹祖編。

篤舊集十八卷 劉存仁編。

師友集十卷 梁章鉅編。

擷芳集二卷 謝桐岡編。

共賞集一卷　二編一卷 錢辰編。

湖海詩傳四十六卷　王昶編。

扶輪新集十四卷　黃傳祖編。

同岑詩選十二卷　黃孫燦編。

同人題贈集四卷　何承燕編。

蛻翁所見錄十卷　葉廷琯編。

白山詩介十卷　鐵保編。

國朝畿輔詩傳六十卷　陶樑編。

滄州詩鈔十二卷　王國均編。

津門詩鈔三十卷　梅成棟編。

燕齊四家詩集十二卷　不著編人。

磁人詩十卷　楊方晃編。

易臺風雅四卷　蘇宏祖編。

易臺風雅續集四卷　蘇元善編。

江蘇詩徵一百八十卷　王豫編。

國朝金陵詩徵四十八卷　朱緒曾編。

石城七子詩鈔十四卷　翁長森編。

金陵名勝詩鈔四卷　秦淮詩鈔二卷　李鶱編。

南邦黎獻集十六卷　鄂爾泰編。

吳風二卷　江左十五子詩選十五卷　宋犖編。

江左三大家詩鈔九卷　顧有孝編。

江左十子詩鈔十卷　王鳴盛編。

吳會英才集二十四卷　畢沅編。

吳門三家詩三卷　朱琳編。

姑蘇楊柳枝詞一卷　汪琬編。

木瀆詩存十四卷　汪正編。

國朝松陵詩徵二十卷　費周仁編。

禊湖詩十八卷　徐達源編。

松風餘韻五十一卷　姚宏緒編。

國朝練音集十二卷　王輔銘編。

青浦詩傳三十二卷　王昶編。

海曲詩鈔十六卷　馮金伯編。

太倉十子詩選十卷　吳偉業編。

毘陵六逸詩鈔二十三卷　莊仕芬、徐梅同編。

梁溪詩鈔五十八卷　顧光旭編。

京江耆舊集十三卷　張學仁編。

焦山詩集一卷　盧見曾編。

淮海英靈集二十二卷　阮元編。

邗上題襟集一卷　續集一卷　曾燠編。

甓湖聯吟集七卷　李光國編。

高郵耆舊詩存二卷　王敬之編。

東皋詩存四十八卷　王之珩編。

崇川詩鈔彙存五十一卷　王藻編。

崇川詩集十二卷　孫翔編。

續宛雅八卷　蔡蓁編。

合肥三家詩錄二卷　譚獻編。

江西詩徵九十四卷　曾燠編。

岳陽詩傳四卷　李嶹、李嶙同編。

江浙詩存六卷　阮元、秦瀛同編。

兩浙輶軒錄四十卷　補遺十卷　阮元編。

續兩浙輶軒錄五十四卷　補遺六卷　潘衍桐編。

浙人詩存八卷　柴杰編。

國朝杭郡詩輯三十二卷　吳顥編，孫振棫重編

國朝杭郡詩輯續編四十六卷　吳振棫編。

國朝杭郡詩三輯一百卷　丁丙編。

西泠三太守詩鈔三卷　西泠六君子詩鈔六卷　聶先編。

西泠五布衣遺著二十五卷　丁丙編。

錢唐懷古詩一卷　王德麟編。

湖墅詩鈔八卷　孫以榮編。

西泠十子詩選十卷　不著編人。

西湖柳枝詞五卷　王昶編。

海昌麗則八卷　吳騫編。

檇李詩繫四十二卷　沈季友編。

續檇李詩繫四十卷　胡昌基撰。

嘉禾百詠偶鈔一卷　不著編人。

梅里詩輯二十八卷　許燦編。

梅里續詩輯十二卷　補遺一卷　沈愛蓮編。

梅會詩集十三卷　李維鈞編。

梅會詩選十二卷　李稻塍編。

魏唐詩陳八卷　錢佳編。

峽川詩鈔二十卷　曹宗載編。

峽川詩續鈔十六卷　許仁沐、蔣學堅同編。

鴛鴦湖櫂歌四卷　不著編人。

柳洲詩集十卷　陳增新編。①

國朝湖州詩續録十六卷　鄭佶編。

吳興詩存四集四十八卷　陸心源編。

浙西六家詩鈔六卷　吳應和編。

甬上耆舊詩三十卷　胡文學編。

四明四友詩六卷　鄭性編。

越姥詩蒐十二卷　倪勳編。

---

①　“增”，原作“曾”，據《清史稿藝文志及補編》、《四庫全書》本書所題作者名改。

越風三十卷　商盤編。

姚江逸詩十五卷　黃宗羲編。

續姚江逸詩十二卷　倪繼宗編。

越七十二家詩集八卷　不著編人。

越三子集七卷　潘祖蔭編。

諸暨詩存十六卷　酈滋德編。

諸暨詩存續編四卷　郭肇編。

嵊詩鈔四卷　呂岳孫編。

上虞詩選四卷　徐幹編。

上虞四家詩鈔十八卷　不著編人。

金華詩録六十卷　朱琰編。

永康十孝廉詩鈔二十二卷　胡鳳丹編。

東陽歷代詩九卷　董肇勳編。

國朝嚴州詩録八卷　宗源瀚編。

黃巖集三十二卷　王詠霓編。

三台詩録三十二卷　戚學標編。

仙居集二十四卷　王壽頤編。

兩浙教官詩録十八卷　許正綬編。

國朝全閩詩録初集三十二卷　續集十一卷　鄭杰編。

莆風清籟集六十卷　鄭王臣編。

黃岡二家詩鈔三十四卷　陳師晋編。

資江耆舊集六十四卷　沅湘耆舊集二百卷　鄧顯鶴編。

國朝山左詩鈔六十卷　盧見曾編。

山左詩續鈔三十二卷　補鈔四卷　張鵬展編。

曲阜詩鈔八卷　孔憲彝編。

渠風集略七卷　馬長淑編。

山右詩存二十四卷　附録八卷　李錫麟編。

晉四人詩六卷　戴廷栻編。

蒲溪吟社三家詩鈔四卷　顧貽禄編。

潞安詩鈔前編四卷　程之珆編。

潞安詩鈔後編十二卷　常煜編。

隴西二家詩鈔三卷　李俊編。

蜀雅二十卷　李調元編。

蜀詩十五卷　費經虞編。

粵東詩海一百卷　補遺六卷　溫汝能編。

粵風集四卷　李調元編。

廣東詩粹十二卷　梁善長編。

嶺南羣雅集六卷　劉彬華編。

嶺海詩鈔二十四卷　凌揚藻編。

楚庭耆舊詩前集二十一卷　後集三十二卷　伍崇曜編。

端人集四卷　彭泰來編。

粵詩蒐逸四卷　黃子高編。

粵十三家詩鈔一百八十三卷　伍元薇編。

倪城風雅二卷　勞巘編。

黔詩紀略二十三卷　黎兆勳編。

滇詩嗣音集二十卷　補遺一卷　黃琮編。

滇詩重光集十八卷　許印芳編。

滇詩拾遺六卷　陳榮昌編。

午夢堂詩鈔四卷　葉燮編。

曲阜孔氏詩鈔十四卷　孔憲彝編。

長林四世弓冶集五卷　林其茂編。

述本堂詩集二十一卷　桐城方氏編。

二方詩鈔六卷　方觀承編。

篤叙堂詩集五卷　侯官許氏編。

棣華書屋近刻四卷　朱湘、朱絳、朱綱撰。

沈氏詩錄十二卷　沈祖禹編。

桐鶴詩鈔二十九卷　單銘編。

湖陵江氏集五卷　江八斗編。

春星堂詩集十卷　續集一卷　汪簹編。

汪氏傳家集一卷　汪宗豫編。

邵氏聯珠集四卷　邵齊烈、邵齊燾、邵齊熊、邵齊然撰。

陳氏聯珠集十五卷　王肇奎編。

翟氏詩鈔一卷　附錄一卷　翟瀚編。

諸氏家集十卷　諸家樂編。

後村周氏淵源錄十三卷　周源編。

蕭山任氏遺芳集三卷　任渠編。

虞山黃氏五家集五卷　黃泰編。

秀水王氏家藏集五十卷　王裵之編。

錫山秦氏詩鈔十五卷　秦彬編。

錢氏傳芳集一卷　錢泳編。

繼生堂集四卷　張賓、張淇、張灝、張椿年撰。

鄂鞾聯吟集二卷　馬國偉、馬用俊撰。

桐城馬氏詩鈔七十卷　馬樹華編。

尹氏歷代詩鈔七十卷　尹掄編。

許氏巾箱集四卷　許兆熊編。

琴川黃氏三集三卷　黃鶴、黃叔燦、黃廷鑑撰。

瑞竹亭合稿四卷　王愈擴、王愈融撰。

屠氏昆季詩鈔二卷　屠秉鈞等撰。

戴氏三俊集三卷　戴芬、戴福謙、戴菕撰。

胡氏羣從集三卷　胡珵、胡琨、胡琮撰。

方氏喬梓集一卷　方鷺及子宗誠撰。

毘陵楊氏詩存六卷　附編三卷　楊葆彝編。

新安先集二十卷　朱之榛編。

海豐吳氏詩存四卷　吳重熹編。

石氏喬梓集二卷　潘鍾瑞編。

二熊君詩賸二卷　熊其英、熊其光撰。

二許集二卷　許乃濟等撰。

同懷忠孝集二卷　嚴辰編。

高氏一家稿一卷　高雲麟編。

汪氏全集十二卷　汪曾唯編。

湖墅錢氏家集十八卷　錢錫賓等撰。

濟陽家集一卷　丁丙編。

城北唱隨集一卷　徐葉鈞及妻吳婉宜撰。

唱和初集一卷　隨草二卷　隨草續編一卷　李元鼎及妻朱中楣撰。

鳴和集一卷　抵掌八十一吟集一卷　馬履泰及壻鎖成、子慶孫、怡孫撰。

亭林同志贈言一卷　沈岱瞻編。

雙節堂贈言三十卷　汪輝祖編。

湯將軍懷忠錄八卷　湯成烈編。

查氏一門烈女編一卷　查禮編。

紫陽書院課餘選二卷　屠倬編。

敬修堂詩賦課鈔十五卷　胡敬編。

八甎吟館刻燭集二卷　阮元編。

問梅詩社詩鈔一卷　尤興詩編。

林屋吟榭詩鈔十二卷　附錄三卷　任兆麟編。

謝琴詩鈔八卷　吳景潮編。

載書圖題詠一卷　王士禛編。

填詞圖題詠一卷　陳維崧編。

楓江漁父圖詠一卷　徐釚編。

松吹堂讀書圖題詠一卷　杭世駿編。

夢境圖唱和詩一卷　黃丕烈編。

張憶娘簪花圖題詠一卷　不著編人。

樂府英華十卷　顧有孝編。

樂府廣序三十卷　朱嘉徵編。

古謠諺一百卷　杜文瀾編。

古今謠諺補注二卷　古今風謠拾遺四卷　古今諺拾遺六卷　史夢蘭編。

古諺箋十卷　林伯桐撰。

唐宮闈詩三卷　費密編。

婦人集一卷　陳維崧編。

國朝閨秀正始集二十卷　附錄一卷　補遺一卷　閨秀惲珠編。

紅樹樓名媛詩選十二卷　陸㷿編。

國朝閨閣詩鈔九十九卷　蔡殿齊編。

女士詩鈔不分卷　吳翌鳳編。

袁家三妹合稿三卷　袁枚編。

鮑氏三女子詩鈔三卷　閨秀鮑之蘭等撰。

隨園女弟子詩選六卷　袁枚編。

碧城仙館女弟子詩一卷　陳文述編

京江三上人詩選三卷　洪亮吉編。

宋陳起　江湖小集九十五卷　江湖後集二十四卷

元方回　文選顏鮑謝詩評四卷

汪澤民　張師愚　宛陵羣英集十二卷　以上乾隆時敕輯。

詩文評類

救文格論二卷　<small>顧炎武撰。</small>

夕堂永日緒論一卷　<small>王夫之撰。</small>

論學三說一卷　<small>黃與堅撰。</small>

伯子論文一卷　<small>魏際瑞撰。</small>

日錄論文一卷　<small>魏禧撰。</small>

棗林藝簣一卷　<small>談遷撰。</small>

鐵立文起二十二卷　<small>王之績撰。</small>

惺齋論文一卷　<small>王元啟撰。</small>

古文緒論一卷　<small>吳德旋撰。</small>

述菴論文別錄一卷　<small>王昶撰。</small>

鳴原堂論文二卷　<small>曾國藩撰。</small>

藝概六卷　<small>劉熙載撰。</small>

論文章本原三卷　<small>方宗誠撰。</small>

四六金鍼一卷　<small>陳維崧撰。</small>

四六叢話三十三卷　<small>孫梅撰。</small>

宋四六話十二卷　<small>彭元瑞撰。</small>

讀賦巵言一卷　<small>王芑孫撰。</small>

見星廬賦話十卷　<small>林聯桂撰。</small>

賦話十卷　<small>李調元撰。</small>

春秋詩話五卷　<small>勞孝輿撰。</small>

選詩叢話一卷　<small>孫梅撰。</small>

讀雪山房唐詩凡例一卷　<small>管世銘譔。</small>

李杜詩話三卷　<small>潘德輿撰。</small>

五代詩話十二卷　<small>王士禎撰。</small>

五代詩話十卷 鄭方坤撰。

西崑發微三卷 吳喬撰。

江西詩社宗派圖錄一卷 張泰來撰。

遼詩話二卷 周春撰。

明人詩品二卷 杜蔭棠撰。

歷代詩話八十卷 吳景旭撰。

歷代詩話考索一卷 何文煥撰。

全閩詩話十二卷 鄭方坤撰。

榕城詩話三卷 杭世駿撰。

南浦詩話八卷　雁宕詩話二卷 梁章鉅撰。

全浙詩話五十四卷 陶元藻撰。

全浙詩話刊誤一卷 張道撰。

廣陵詩事十卷 阮元撰。

杜律詩話二卷 陳廷敬撰。

杜詩雙聲疊韻譜括略八卷 周春撰。

玉溪生詩說二卷 紀昀撰。

蘇海識餘四卷 王文誥撰。

蘇亭詩話六卷 張道撰。

詩律蒙告一卷 顧炎武撰。

詩鐸一卷 王夫之撰。

梅村詩話一卷 吳偉業撰。

帶經堂詩話三十卷 王士禎撰，張宗柟輯。

師友詩傳錄一卷 郎廷極撰。

續錄一卷 劉大勤撰。

然燈記聞一卷 何世璂撰。

蠖齋詩話二卷 施閏章撰。

談龍錄一卷 趙執信撰。

漫堂説詩一卷　宋犖撰。

静志居詩話二十四卷　朱彝尊撰。

西河詩話八卷　毛奇齡撰。

詩辨坻四卷　毛先舒撰。

初白庵詩評三卷　查慎行撰。

寒廳詩話一卷　顧嗣立撰。

談詩録一卷　詩學纂聞一卷　汪師韓撰。

野鴻詩的一卷　黄子雲撰。

詩義固説二卷　龐塏撰。

圍爐詩話八卷　吳喬撰。

原詩一卷　葉燮撰。

説詩晬語四卷　沈德潛撰。

蓮坡詩話三卷　查爲仁撰。

隨園詩話十六卷　補遺十卷　袁枚撰。

石洲詩話八卷　翁方綱撰。

北江詩話六卷　洪亮吉撰。

茗香詩論一卷　宋大樽撰。

甌北詩話二卷　趙翼撰。

雨村詩話二卷　李調元撰。

拜經樓詩話四卷　吳騫撰。

月山詩話一卷　宗室恒仁撰。

柳亭詩話三十卷　宋俊撰。

槐塘詩話一卷　汪沆撰。

㿟亭詩話二卷　陶元藻撰。

靈芬館詩話十八卷　郭麔撰。

雅歌堂詩話二卷　陳經撰。

瓶水齋詩話一卷　舒位撰。

山靜居詩話一卷　方薰撰。

匏廬詩話三卷　姚椿撰。

養一齋詩話十卷　潘德輿撰。

筠石山房詩話六卷　楊霈撰。

小匏菴詩話十卷　吳仰賢撰。

射鷹樓詩話二十四卷　林昌彝撰。

壽松堂詩話四卷　陳來泰撰。

燈牕瑣話四卷　于源撰。

春雪亭詩話一卷　徐熊飛撰。

春草堂詩話八卷　謝堃撰。

緣庵詩話三卷　李堂撰。

耐冷譚十六卷　宋咸熙撰。

小滄浪詩話四卷　張燮承撰。

養自然齋詩話十卷　鍾駿聲撰。

緝雅堂詩話二卷　潘衍桐撰。

然脂集例一卷　王士祿撰。

詩法萃編十五卷　許印芳撰。

閨秀詩話四卷　梁章鉅撰。

閨秀詩話續編四卷　丁芸撰。

全唐文紀事一百二十二卷　陳鴻墀撰。

宋詩紀事一百卷　厲鶚撰。

宋詩紀事補遺一卷　羅以智撰。

宋詩紀事補遺一百卷　附　小傳補正四卷　陸心源撰。

本事詩十二卷　徐釚撰。

詞壇紀事三卷　李良年撰。

國朝詩人小傳四卷　鄭方坤撰。

國朝詩人徵略六十卷　二編六十四卷　張維屏撰。

制藝叢話二十四卷　<small>梁章鉅撰。</small>

試律新話四卷　<small>倪鴻撰。</small>

聲調譜一卷　續譜一卷　<small>趙執信撰。</small>

聲調譜拾遺一卷　<small>翟灝撰。</small>

聲調八病説一卷　<small>吳鎮撰。</small>

聲調譜説一卷　<small>吳紹燦撰。</small>

聲調三譜四卷　<small>王祖源撰。</small>

聲調四譜十二卷　<small>董文煥撰。</small>

宋吳可　藏海詩話一卷

不著撰人名氏　環溪詩話一卷

王正德　餘師録四卷

李耆卿　文章精義二卷

周密　浩然齋雅談三卷

元陳繹　文説一卷　<small>以上乾隆時敕輯。</small>

詞曲類

鼓棹初集一卷　二集一卷　瀟湘怨詞一卷　<small>王夫之撰。</small>

隰西草堂詞一卷　<small>萬壽祺撰。</small>

梅村詞二卷　<small>吳偉業撰。</small>

定山堂詩餘四卷　<small>龔鼎孳撰。</small>

棠村詞三卷　<small>梁清標撰。</small>

玉琴齋詞四卷　<small>余懷撰。</small>

炊聞詞二卷　<small>王士禄撰。</small>

衍波詞二卷　<small>王士禎撰。</small>

藝香詞鈔四卷　<small>吳綺撰。</small>

蒼梧詞十二卷　董元愷撰。

二鄉亭詞二卷　宋琬撰。

曝書亭詞七卷　江湖載酒集三卷　蕃錦集二卷　朱彝尊撰。

曝書亭詞注七卷　李富孫撰。

迦陵詞三十卷　陳維崧撰。

珂雪詞二卷　曹貞吉撰。

納蘭詞五卷　納喇性德編。

彈指詞三卷　顧貞觀撰。

紫雲詞一卷　丁煒撰。

微雲詞一卷　秦松齡撰。

秋笳詞一卷　吳兆騫撰。

溉堂詩餘二卷　孫枝蔚撰。

茗齋詩餘二卷　彭孫貽撰。

延露詞三卷　彭孫遹撰。

秋錦山房詞一卷　李良年撰。

楓香詞一卷　宋犖撰。

西河塡詞六卷　毛奇齡撰。

百末詞六卷　尤侗撰。

蓉渡詞一卷　董以寧撰。

玉山詞一卷　陸次雲撰。

餘波詞二卷　查慎行撰。

蔬香詞一卷　竹慁詞一卷　獨日詞一卷　高士奇撰。

棟亭詞鈔一卷　曹寅撰。

茗柯詞一卷　程夢星撰。

歸愚詩餘一卷　沈德潛撰。

紅藕莊詞三卷　龔翔麟撰。

石笥山房詩餘一卷　胡天游撰。

樊榭山房詞二卷　續集一卷　厲鶚撰。

押簾詞一卷　查爲仁撰。

冬心先生自度曲一卷　金農撰。

青衫詞一卷　鄭方坤撰。

板橋詞鈔一卷　鄭燮撰。

銅弦詞二卷　蔣士銓撰。

冰天雪窖詞一卷　機聲燈影詞一卷　洪亮吉撰。

竹眠詞二卷　黃景仁撰。

茗柯詞一卷　張惠言撰。

念宛齋詞鈔一卷　左輔撰。

蒹塘詞一卷　惲敬撰。

曬書堂詩餘一卷　郝懿行撰。

蠢翁詞二卷　李調元撰。

嶰谷詞一卷　馬曰琯撰。

南齋詞二卷　馬曰璐撰。

月滿樓詞二卷　顧宗泰撰。

有正味齋詞八卷　吳錫麒撰。

紅薇翠竹詞一卷　焦循撰。

求是堂詞一卷　胡承珙撰。

扁舟載酒詞二卷　江藩撰。

棕亭詞鈔七卷　金兆燕撰。

亦有生齋詞五卷　趙懷玉撰。

芙蓉山館詞鈔二卷　真率齋詞二卷　楊芳燦撰。

梅邊吹笛詞二卷　凌廷堪撰。

金牛湖漁唱一卷　張雲璈撰。

齊物論齋詞一卷　董士錫撰。

香草詞二卷　洞簫詞一卷　碧雲盦詞二卷　宋翔鳳撰。

立山詞一卷　張琦撰。

享帚詞四卷　秦恩復撰。

瑤想詞一卷　王芑孫撰。

借閒生詞一卷　汪遠孫撰。

梅邊吹笛譜二卷　篷牕韻燭集二卷　李堂撰。

百緣語業一卷　朱昂撰。

箏船詞一卷　劉嗣綰撰。

銀藤花館詞四卷　戴延介撰。

琴筑山房樂府二卷　盛大士撰。

小謨觴館詩餘一卷　彭兆蓀撰。

蘅夢詞二卷　浮眉樓詞二卷　懺餘綺語二卷　爨餘詞一卷　郭
　麐撰。

百萼紅詞二卷　吳焯撰。

香蘇山館詞一卷　吳嵩梁撰。

露蟬吟詞鈔一卷　唐仲冕撰。

蜩翼詞一卷　李兆洛撰。

思賢閣詞一卷　丁履恆撰。

萬善花室詞一卷　方履籛撰。

蘭石詞一卷　董祐誠撰。

存審齋詞三卷　周濟撰。

秋雅一卷　蔣曰豫撰。

耶溪漁隱詞二卷　屠倬撰。

紅豆樹館詞八卷　陶樑撰。

臨嘯閣詩餘四卷　朱駿聲撰。

知止堂詞録三卷　朱綬撰。

桐月修簫譜一卷　王嘉禄撰。

翠微雅詞一卷　戈載撰。

因柳閣詞二卷　焦廷琥撰。

拙宜園詞二卷　黃憲清撰。

柯家山館詞三卷　嚴元照撰。

玉壺詞選二卷　改琦撰。

種芸仙館詞四卷　釣船笛譜一卷　馮登府撰。

六花詞一卷　徐熊飛撰。

倚晴樓詩餘四卷　黃燮清撰。

桐花閣詞鈔一卷　吳蘭修撰。

鴛鴦宜福館吹月詞二卷　陳元鼎撰。

清夢盦二白詞五卷　沈傅桂撰。

金梁夢月詞二卷　懷夢詞一卷　周之琦撰。

冰蠶詞一卷　承齡撰。

空青詞三卷　邊浴禮撰。

清鄰詞一卷　陸繼輅撰。

竹鄰詞一卷　金式玉撰。

養一齋詞三卷　潘德輿撰。

無著詞一卷　懷人館詞一卷　影事詞一卷　小奢摩詞一卷

庚子雅詞一卷　龔自珍撰。

雙硯齊詞二卷　鄧廷楨撰。

玉井山館詩餘一卷　許宗衡撰。

蒼筤館詞一卷　孫鼎臣撰。

心庵詞一卷　何兆瀛撰。

詩龕詞續一卷　張祥河撰。

茂陵秋雨詞四卷　王拯撰。

春在堂詞錄三卷　俞樾撰。

玉溚詞一卷　潘曾瑋撰。

眉緣樓詞八卷　顧文彬撰。

芬陀利室詞一卷　潘祖蔭撰。

思益堂詞一卷　周壽昌撰。

東洲草堂詩餘一卷　何紹基撰。

拜石山房詞四卷　顧翰撰。

敦藝齋詩餘一卷　鄒漢勛撰。

琴隱園詞四卷　湯貽汾撰。

汀蘆詩餘一卷　楊傳第撰。

藤香館詞一卷　薛時雨撰。

悔翁詩餘五卷　汪士鐸撰。

憶雲詞五卷　項鴻祚撰。

水雲樓詞二卷　蔣春霖撰。

漚夢詞一卷　劉履芬撰。

復堂詞三卷　譚獻撰。

新蘅詞六卷　張景祁撰。

笙月詞五卷　花影詞一卷　王貽壽撰。

疏影樓詞五卷　姚燮撰。

陳比部詞鈔一卷　詩餘別集一卷　陳壽祺撰。

緼秋詞一卷　程庭鷺撰。

索笑詞二卷　張文虎撰。

太素齋詞鈔二卷　勒方錡撰。

采香詞四卷　杜文瀾撰。

黃雁山人詞四卷　莊緗度撰。

空一切盦詞一卷　鄧嘉純撰。

晴花暖玉詞二卷　鄧嘉縝撰。

荔墻詞一卷　汪曰楨撰。

寒松閣詞二卷　張鳴珂撰。

香禪精舍詞四卷　潘鍾瑞撰。

袖墨集一卷　蟲秋詞一卷　味梨集一卷　鶩翁集一卷　蜩知
　集一卷　校夢龕集一卷　庚子秋詞一卷　春蟄吟一卷 王鵬
　運撰。

蘭當詞二卷　陶方琦撰。

鬱華閣詞一卷　宗室盛昱撰。

賭棋山莊詞八卷　謝章鋌撰。

璞齋詞一卷　諸可寶撰。

漱泉詞一卷　成肇麐撰。

霞川花隱詞二卷　李慈銘撰。

雲起軒詞鈔一卷　文廷式撰。

麟楥詞一卷　刘恩黻撰。

山中和白雲詞一卷　拈花詞一卷　蔣敦復撰。

搴紅詞一卷　陳如升撰。

樵風樂府九卷　鄭文焯撰。

紅蕉詞一卷　江標撰。

宋葛勝仲　丹陽詞一卷　乾隆時敕輯。
　　以上詞曲類詞集之屬

歷代詩餘百二十卷　康熙四十六年,沈辰垣等奉敕撰。

絕宮妙好詞箋七卷　查爲仁、厲鶚同輯。

詞綜三十四卷　朱彝尊撰。

詞綜補八卷　明詞綜十二卷　王昶撰。

詞綜補遺二十卷　陶樑撰。

選聲集三卷　吳綺撰。

東日堂詞選初集十五卷　佟世南編。

歷朝名人詞選十三卷　夏秉衡撰。

詞選二卷　張惠言撰。

五代詞選三卷　成肇麈撰。

宋七家詞選七卷　戈載撰。

詞辨二卷　宋四家詞選一卷　周濟撰。

續詞選二卷　董毅撰。

林下詞選十四卷　周銘撰。

十六家詞三十九卷　孫默撰。

今詞苑三卷　陳維崧等編。

今詞選二卷　納喇成德、顧貞觀編。

昭代詞選三十八卷　蔣重光撰。

國朝詞綜四十八卷　王昶撰。

國朝詞綜補五十八卷　丁紹儀撰。

國朝詞綜續編二十四卷　黄爕清撰。

國朝詞雅二十四卷　姚階編。

絶妙近詞六卷　孫麟趾編。

絶妙近詞續鈔二卷　余集、徐楙同編。

詩餘偶鈔六卷　王先謙編。

燕市聯吟集四卷　討春合唱一卷　袁通編。

金陵詞鈔八卷　秦際唐編。

江東詞社選一卷　秦耀曾編。

廣陵唱和詞一卷　孫金礪編。

高郵耆舊詩餘一卷　王敬之編。

粤風續九四卷　吴淇編。

閩詞鈔四卷　本事詞二卷　天籟軒詞選六卷　葉申薌編。

明湖四家詞四卷　趙國華編。

四明近體樂府十五卷　袁鈞編。

硤川詞鈔一卷　曹宗載編。

同聲集九卷　王鵠編。

侯鯖詞五卷　邊保樞編。

篋中詞六卷　續四卷　譚獻編。

詞學全書十四卷　查繼起編。

詞學叢书二十三卷　秦恩復編。

　　以上詞曲類詞選之屬

花草蒙拾一卷　王士禛撰。

詞話二卷　毛奇齡撰。

詞苑叢談十二卷　徐釚撰。

古今詞話六卷　沈雄撰。

詞藻四卷　詞統源流一卷　金粟詞話一卷　彭孫遹撰。

詞家辨證一卷　李良年撰。

七頌堂詞繹一卷　劉體仁撰。

詞綜偶評一卷　許昂霄撰。

填詞名解四卷　毛先舒撰。

遠志齋詞衷一卷　鄒祇謨撰。

詞林紀事二十二卷　张宗橚編。

雨村詞話一卷　李調元撰。

香研居詞麈五卷　方成培撰。

蓮子居詞話四卷　吳衡照撰。

聽秋聲館詞話二十卷　丁紹儀撰。

賭棋山莊詞話十二卷　謝章鋌撰。

芬陀利室詞話三卷　蔣敦復撰。

詞譜四十卷　康熙五十四年御定。

詞律二十卷　萬樹撰。

詞律拾遺六卷　徐本立撰。

詞律校勘記二十卷　杜文瀾撰。

填詞圖譜六卷　續集二卷　賴以邠撰。

白香詞譜一卷　舒夢蘭撰。

白香詞譜箋四卷　謝朝徵撰。

天籟軒詞譜六卷　葉申薌撰。

詞韻選集一卷　應撝謙撰。

榕園詞韻一卷　吳甯撰。

學宋齋詞韻一卷　吳烺撰。

詞韻二卷　仲恆撰。

詞林正韻三卷　戈載撰。

詞韻考略一卷　許昂霄撰。

碎金詞韻四卷　謝元淮撰。①

新聲譜一卷　朱和羲撰。

　　　以上詞曲類詞話詞譜詞韻之屬

曲譜十四卷　康熙五十四年奉敕撰。

九宮大成曲譜八十一卷　閏集一卷　莊親王撰。

昭代簫韶二十卷　王廷章等輯。

製曲枝言一卷　黃周星撰。

南曲入聲答問一卷　毛先舒撰。

樂府傳聲二卷　徐大椿撰。

一笠庵北詞廣正譜不分卷　李元玉撰。

南詞定律十三卷　楊緒等撰。

太古傳宗二卷　鄒金聲等撰。

---

　　① “淮”，原作“維”，據《清史稿藝文志及補編》、《詞語叢編》著録本書所題作者名改。

曲目表一卷　支豐宜撰。

曲海總目一卷　黃文暘撰。

雨村曲話二卷　李調元撰。

曲話五卷　梁廷柟撰。

以上詞曲類南北曲之屬

後　記

　　歷經八年多的努力,《二十五史藝文經籍志考補萃編》的編
纂整理工作將告蕆事,讀者也將看到完璧。在一絲難得的輕鬆
中,回首多年來的工作,不禁心生感慨,此書自動議、立項、編
纂、點校,直至出版的過程,歷歷在目,筆之於此,算是對課題的
總結和對讀者的一個交代。

　　1987 年 7 月,王承略自武漢大學圖書情報學院本科畢業,
考入山東大學古籍整理研究所王紹曾先生門下,成爲王先生的
碩士研究生,專業方向是目錄版本學。同時,劉心明自北京大
學中文系古典文獻學專業畢業,在安平秋、董治安兩位先生的
安排下,來山東大學古籍整理研究所工作,被分配做王先生的
助手。此時王先生已着手編纂《清史稿藝文志拾遺》,所以王承
略、劉心明最早嘗試的學術活動,便是學習史志目錄,認識史志
目錄,編纂史志目錄。這對於二人以後的學術發展方向產生直
接影響。

　　1989 年,王承略完成碩士學位論文《論清季目錄學家姚振
宗》。姚振宗畢生致力於史志目錄研究,是清代史志目錄研究
的大家,他的《快閣師石山房叢書》七種中的五種,涉及《漢書藝
文志》、《隋書經籍志》的考證和補遺,涉及後漢、三國藝文志的
補撰,無一不是史志目錄考補之作的典範。通過論文的寫作,
王承略更加認識到史志目錄的重要性。

　　1990 年,王承略在安徽省中心圖書館委員會、安徽省圖書
館學會所編《圖書館工作》季刊一九九〇第三、四期合刊(總第
49 期)上發表《從正史藝文志談補志的得失》一文,對 7 部正史

藝文志的優缺點、清代補志的歷程和評價，做了初步的探討，文章最後指出："正史七志和自清至今補輯的多種史志，基本上構成我國二千年來系統完整的典籍目録。從這些著録中，可以探測各時代各種學術的興起和發展情況，可以體現我國古代文化的繁榮。這些材料，是科研工作者的寶貴財富。可惜的是，這些材料仍很零亂，尚未得到很好的整理。如果能把七部正史藝文志和所有的補志，匯編成一部包括古今具有國家意義的圖書總目録，各書下加注來源，最後再出綜合索引，那麽，這將是當今圖書目録事業的一大盛事，它對弘揚民族文化必將産生深遠而重大的歷史影響。"從這段文字看出，王承略匯編整理史志目録的設想由來已久。

此後，王承略、劉心明襄助王紹曾、董治安二先生完成多個科研項目，藝文經籍志的匯編整理計劃一直未能付諸實施。直到 2003 年 10 月，國家有關部門徵集古籍整理選題，王承略、劉心明與董治安先生商量，三人聯名上報了"歷代藝文志經籍志考證補撰匯纂"課題，並附了一篇題爲《關於編纂〈歷代藝文志經籍志考證補撰匯纂〉的説明》的論證材料。

《説明》的内容分三部分：第一，選題意義："藝文志、經籍志記一代藏書或著述之盛，是考察古代典籍類別與存亡、各個時期學術思想承傳與流變的最爲重要的文獻。二十五史中原先只有七部撰寫了藝文志或經籍志。宋代以來，學者們一方面對已有的七種藝文志進行考證或補遺，另一方面又對本無藝文志的十九種史書作了補撰，從而形成了完整的史志目録系統，成爲學術研究不可或缺的大宗參考資料。但藝文志的考證和補撰之作，數量衆多，散存各圖書館，有的僅以稿本流傳，利用極爲不便。所以有必要匯爲一編，進行必要的整理，以發揮出更大的學術功效。將歷代史書中的藝文志、經籍志及其考證和補撰著作予以匯纂，有助於對中國古代的典籍進行系統、全面的清理，有助於對歷代學術、文化更好的梳理與總結，具有無可替代的重要意義。"第二，整理方式："影印、標點重排皆可。全書最後附書名、人名索引。"第三，全書目錄：共收書七十一種，另加附錄三種。具體子目此從略。

論證材料寫於 2003 年 10 月 14 日。上報以後，並無下文，但由此激發起了王承略、劉心明匯編整理藝文經籍志的熱情。2004 年 11 月，王承略、劉心明抬了滿滿一箱《高亨著作集林》的樣稿，送往清華大學出版社馬慶洲先生處。閑談中，馬慶洲問起二人近期的科研計劃，二人向他透露了兩個，一是《二十五史藝文經籍志考補萃編》，二是《唐宋學術筆記類纂》。馬慶洲對兩個項目都很欣賞，而對前者尤感興趣，他說藝文經籍志是讀碩讀博期間的常用之書，但有些史志不易找到，希望王承略、劉心明在協助董治安先生完成《高亨著作集林》的編校任務後，即可啓動《二十五史藝文經籍志考補萃編》的點校編撰工作。三人當即定下君子之約。

2005 年 6 月，王承略、劉心明借出差北京之便，與馬慶洲一起，拜訪全國高等院校古籍整理研究工作委員會，向古委會匯報了這一項目，馬慶洲代表出版社，表達了出版此書的意願。之後，在王紹曾、董治安二先生的支持下，王承略、劉心明填寫了《全國高等院校古籍整理研究工作委員會重點科研項目申請評審書》，把項目正式上報給了古委會。

《項目申請評審書》的"主要內容"包括：1. 確定收書範圍 70 部；2. 擇取精善完備的版本做底本；3. 對每種書進行標點整理；4. 統編全書的書名、著者綜合索引。在"參加者分工情況"一欄中則寫道："在編纂整理工作中，課題組請王紹曾、董治安二先生隨時給予指導。"如今，兩位先生先後謝世，怎不讓人感慨係之。

2005 年 12 月,古委會正式立項,並資助 12 萬元科研經費,保證了項目的順利進行。2006 年春,部分科研經費到位,王承略、劉心明即開始收集資料。6 月,二人到國家圖書館訪書,花費 2 萬多元,獲得 4 種書的掃描件,又到北京大學圖書館抄錄鄭文焯《金史補藝文志》,並與馬慶洲商量,爭取國家古籍整理出版規劃領導小組的資助。自北京回濟南後,王承略、劉心明與董治安先生一道起草了《申請出版資助的報告材料》,於 7 月 24 日寄給馬慶洲,他收到後,即向清華大學出版社領導匯報,蓋章後上報古籍規劃小組,最終獲得了 8 萬元的出版資助。

2006 年 7 月 5 日,王承略、劉心明打報告給山東大學圖書館,請求複製山大圖書館所藏 12 種藝文經籍志:1.《漢書藝文志條理》,清姚振宗撰,民國間浙江圖書館排印本;2.《漢書藝文志拾補》,清姚振宗撰,民國間浙江圖書館排印本;3.《補續漢書藝文志》,清錢大昭撰,清光緒間刻《廣雅書局叢書》本;4.《補後漢書藝文志》,清侯康撰,清光緒間刻《廣雅書局叢書》本;5.《補後漢書藝文志并考》,曾樸撰,清光緒刻本;6.《補三國藝文志》,清侯康撰,清光緒間刻《廣雅書局叢書》本;7.《補晉書藝文志》,清秦榮光撰,民國 4 年排印本;8.《補晉書藝文志》,文廷式撰,宣統元年排印本;9.《補晉書藝文志》,黃逢元撰,民國 15 年排印本;10.《補晉書經籍志》,吳士鑑撰,清光緒刻本;11.《隋書經籍志補》,張鵬一撰,清光緒間排印本;12.《隋書經籍志考證》,章宗源撰,清光緒間刻本。山大圖書館在暑假之中特爲延長古籍部開放時間,爲這 12 種書的複製提供了便利。

2006 年 10 月 13 日,馬慶洲撰"選題報告",17 日獲出版社批准。23 日,馬慶洲與王承略、劉心明商談出版事宜,討論是否收錄姚明煇《漢書藝文志注解》。馬慶洲又到清華大學圖書館查找《西堂文集》，未找到尤侗的《明史藝文志稿》。11 月 8 日，三人在北京清華園賓館談書稿事，10 日簽署出版合同。

2006 年 9 月至 2007 年 6 月，陳錦春、朱新林滯留校内，一邊準備博士生入學考試，一邊整理藝文志、經籍志。二人分別整理多種，各見本書整理者署名。2007 年 1 月初，陳錦春借回江西探家之便，在南方訪書，獲得數種珍貴稿抄本。

2007 年 6 月 24 日，王承略、劉心明在資料搜集工作初步結束和總結初期整理工作情況的基礎上，進一步改定可供操作的《整理體例》。7 月初，王承略、劉心明、王正一、張祖偉往上海圖書館訪書。此時的上海，天氣悶熱潮濕，不適合古籍閱覽。上海圖書館陳先行先生鑒於四人遠道而來，給予了便利和幫助。四人校對了孫德謙《金史藝文略》稿本，抄錄了張繼才《補元史藝文志》。在上海，吃住都貴，四人曾連進淮海路 4 家飯店，問過飯菜價格後而離去，不得已去商店買麵包、方便麵吃。經費的不足，讓課題組成員捨不得爲填飽肚子而過多破費。與此同時，張緒峰在北京抄錄了吳騫《四朝經籍志補》，盧芳玉抄錄了王仁俊《補宋書藝文志》和《補梁書藝文志》。

2008 年 1 月，王承略、劉心明向高校古委會提交《二十五史藝文經籍志考補萃編 2007 年度工作進度表》，用表格的形式説明《申請表》所列 70 種書的整理情況，附新增子目：1.《宋史藝文志宋史新編藝文志歧異表》；2. 吳騫《四朝經籍志補》；3. 徐炯《五代史記補考藝文考》；4. 陳鱣《續唐書經籍志》；5. 趙士煒《宋國史藝文志輯本》；6. 張錦雲《元史藝文志補》；7. 佚名《漢隋二志存書述略》。由於項目過大並不斷新增子目，《進度表》後附帶説明，要求"追加經費 5 萬元"。

2008 年 9 月，鑒於劃撥經費嚴重不足，王承略、劉心明起草《二十五史藝文經籍志考補萃編項目經費使用情況匯報暨資助經費申請報告》,向高校古委會做出書面匯報,《報告》在詳細説明經費開支情況後,指出"爲了保證項目的順利完成,尚需追加經費 5 萬元。追加經費及剩餘經費將主要用於以下三個方面:一、支付拖欠濟南地區各圖書館的底本費;二、支付今後科研工作的差旅費;三、支付以後清樣校對勞務費及其他各項必要的開支。另外,尚需補助經費 10 萬元,用來支付出版費用。總計經費缺額 15 萬元"。古委會没有對一個項目追加經費的先例,而所撥經費也不能用於出版資助,故此《報告》的性質是以説明情況爲主的。

龔顯曾的《金藝文志補録》,據商務印書館 1958 年 11 月排印《遼金元藝文志》,在《亦園脞牘》裏。查訪了多家圖書館,不曾找到《亦園脞牘》,因此,2010 年 5 月 20 日,王承略、劉心明委托王正一在網上購買了一部清光緒四年誦芬堂活字本《亦園脞牘》,然其中並没有《金藝文志補録》。茫然之餘,不得已而用商務本作底本。

陳朝爵的《漢書藝文志集説》,安徽省立大學石印本,王承略、劉心明複製於國家圖書館。《集説》六卷,有缺頁。2010 年 10 月,已經完成了二校清樣。由於有缺頁,王承略、劉心明一直想找別本配補。經查,首都圖書館藏有一部《漢書藝文志約説》,七卷。2011 年 4 月,劉心明托在北京大學出版社工作的魏奕元複製而來。經比對,《集説》六卷書後所附勘誤表十數頁,在《約説》中已被悉數改正。《集説》的缺頁,《約説》正可補全。《約説》的内容,較《集説》更爲豐富。很顯然,《集説》是初稿,《約説》是後定稿。故改换《約説》爲底本,重新整理。

鄭文焯的《金史補藝文志》,王承略、劉心明先在北京大學圖書館過録了一個稿本,過録的同時,也就完成了標點整理。後來聽説《上海圖書館未刊古籍稿本》裏也影印了一個稿本,就很想得到作比對。而濟南的各大圖書館，尚未購進《上海圖書館未刊古籍稿本》，於是王承略請復旦大學的羅劍波先生代爲複製。2011 年 6 月，羅先生將複製件寄到。經比對，上圖本較之北大本內容有所增補，更加完整，故改用上圖本作底本。

　　類似抽換底本的情形，還有一些。李正奮《補魏書藝文志》，梁瑞霞先用抄本作底本，做成了電子稿，後李湘湘改用稿本作底本，二本內容有較大差別。陳鱣《續唐書經籍志》，先用《叢書集成初編》本，後改爲道光刻本。道光本能糾正《初編》本多處錯誤，如卷前"潁川郡陳應謙鐫字"，《初編》本訛"郡"爲"母"，錯得莫名其妙。焦竑的《國史經籍志》，先用《續修四庫全書》影印明徐象橒曼山館刻本，後改爲《四庫全書存目叢書》影印明萬曆三十年陳汝元函三館刻本，陳本的版本價值遠遠高出徐本。整理者陳錦春曾以陳本校徐本，校出了徐本文字訛誤100 處，文字漫漶 11 處，文字脫漏 50 處，計脫近 600 字。反之，只校出陳本文字訛誤 20 處及脫漏 2 處。兩相比對，整理出了《國史經籍志》較好的通行本。

　　孫德謙的《金史藝文略》，《萃編》同時收錄了兩個稿本，最爲特例。之所以這樣做，有其原因。國家圖書館藏《金史藝文略》稿本未題作者，《歷代史志目錄叢刊》亦題爲佚名。經整理者張雲考證比對，此本與上海圖書館所藏《金史藝文略》同爲清孫德謙所著。從國圖本的眉批具被上圖本吸收來看，國圖本應是初稿，上圖本應是定稿。上圖本內容翔實豐富，結構清晰完善，但遺憾的是，它是一個殘稿本，集部只保存了五十一個條目，到《洰水集》爲止，後面的內容闕如。國圖本雖內容簡單，但精華具在，倫脊可尋。尤爲可貴的是，其集部收有一百五十多個條目。此外，除了經、史、子、集，國圖本還在集部後列有"金刊書目"（後又重出"金刊本"）、"金譯書目"兩大類。這樣，它就可以在一定程度上補充上圖本的缺失，並反映了孫德謙原書的全貌。所以，此次整理，兩本兼存，而以上圖本爲正錄，以國圖本爲附錄。

2011 年 10 月 19 日至 11 月 23 日，王承略受聘爲臺灣大學人文社會高等研究院訪問學者，在臺灣大學作短期合作研究。王承略在臺大圖書館讀到《中國歷代書目總錄》一書，梁子涵著，1953 年臺灣中華文化出版事業委員會出版。梁書收錄書目，標注版本。有些條目讓王承略感到驚奇，因爲正是在大陸苦苦找尋未果的，比如：

漢書藝文志考誤一卷　清李賡芸編　李氏遺書本　梁氏慕真軒藏抄本　一冊　按此書《國朝未刊遺書志略》作二卷，云未刊

漢書藝文志補校　清王仁俊編　梁氏慕真軒藏稿本二冊

漢書藝文志彙注箋釋　段淩辰編　民國十八年瑞安集古書社鉛印掇英樓叢書本

漢書藝文志彙注箋評　李笠編　民國十六年廈門大學油印本

新莽藝文志　饒懿編　梁氏慕真軒藏抄本　一冊

隋書經籍志補校　清王仁俊編　吳縣王扞鄭所著書本梁氏慕真軒藏稿本　二冊

隋書經籍志補證四卷　楊守敬編　梁氏慕真軒藏觀海堂抄本　一冊

隋代經籍志現存書目　潘令華編　梁氏慕真軒藏傳抄稿本　一冊

新唐書藝文志考證　羅振玉編　上虞羅氏藏抄本　六冊梁氏慕真軒藏抄本　六冊

明史藝文志補遺　清徐萧編　敝帚齋遺書本

另有數種，有梁子涵的批校增補：

隋書經籍志考證十三卷　清章宗源編　梁氏慕真軒藏梁子涵批校本　四冊

隋書經籍志補二卷　張鵬一編　梁氏慕真軒藏梁子涵批識增補本　一冊

隋代藝文志　李正奮編　梁氏慕真軒藏梁子涵批校舊抄本　二冊

補南唐藝文志一卷　清汪之昌編　梁氏慕真軒藏梁子涵批識傳抄本　二冊

補五代史藝文志一卷　清顧櫰三編　梁氏慕真軒藏梁子涵批識本　二冊

國史經籍志五卷糾謬一卷　明焦竑編　梁氏慕真軒藏梁子涵批識本　六冊

王承略興奮之餘，在臺灣展開了對以上書目的找尋。但搜訪多日，查詢多館，一無所獲。於是王承略推測這些書目應是梁子涵在大陸所得，並未帶到臺灣去。《中國歷代書目總錄》在臺灣出版時，裏面著錄的書目已屬前塵夢影。爲了得到印證，王承略專門請教了臺北大學精於目錄版本學的王國良教授，王國良教授説他早就留意於此，也查尋過這些書目，但皆未找到，這些書目在臺灣並不存在。

一大宗的史志目錄感覺近在咫尺卻杳無蹤影，不能不令人遺憾。如果不發生意外，這些書目應該還在，多麼希望它們能夠早日現身。在臺灣傅斯年圖書館，王承略見到了曬藍本《新唐書藝文志注》，佚名撰，傅館目錄加注曰："考《藝風堂友朋書札》及《藝風老人日記》，注者當爲繆荃孫。"傅館的意見，與大陸學者的研究結論略同。曬藍本與北京大學的藏本應屬同本。
《萃編》以《二十四史訂補》影印國家圖書館藏民國間抄本爲底
本，以《四庫未收書輯刊》影印科學院圖書館藏藕香簃抄本爲校
本。將三個版本加以比較，發現行款、内容、避諱字、異體字有
所不同，這是使用本書時應該注意的。

　　王承略從臺灣回到山大時，27 卷 31 册的《萃編》，在國家古
籍整理出版規劃領導小組 8 萬元出版資助的支持下，已於 2011
年 5 月出版了第 3 卷、第 4 卷，9 月出版了第 2 卷，10 月出版了
第 7 卷、第 8 卷，下一步的出版，又遇到了資金困難。王承略向
樊麗明副校長匯報在臺工作時，一道把《萃編》面臨的困難提了
出來。在樊校長的關心下，山大學術研究部劃撥了 10 萬元出
版資助。申請書是王承略、劉心明於 2011 年 12 月 6 日起草的，
來年初出版資助就到位了。在這筆出版經費的支持下，出版社
於 2012 年 1 月出版了第 5 卷，4 月出版了第 9 卷、第 10 卷、第
11 卷，5 月出版了第 14 卷，6 月出版了第 12 卷，7 月出版了第
18 卷，10 月出版了第 6 卷。至此，出版合同業已基本完成，剩下
的卷册又遇到了出版困難。在山東大學儒學高等研究院王學
典院長、巴金文書記的關心下，王承略、劉心明於 2012 年 12 月
填寫了《山東大學儒學高等研究院學術研究項目申報表》，獲得
研究院 10 萬元出版資助，出版經費得到最終解決。

　　2013 年 4 月，《文史哲》雜志王學典主編、周廣璜副主編安
排王承略、劉心明準備文字和圖片材料，做宣傳之用。王承略、
劉心明借此機會完成了《萃編》的《前言》。《前言》文字加工縮
減後，經王學典主編、周廣璜副主編進一步修改潤色，刊於《文
史哲》2013 年第 3 期封二封三封四，《前言》的全文，則刊在了
《中國典籍與文化》2013 年第 3 期上，讓學界及時瞭解到了《萃
編》的最新進展。

　　《萃編》前後跨涉 8 年，王承略、劉心明十分重視項目的組織與管理，給每一種書目建立了詳細的科研檔案。在整理過程中，努力做到嚴肅認真，返工重做時有發生，清樣經常校到 3 遍4 遍。特別注重死校，這樣即便標點有所不妥，只要保證了文字的準確性，讀者仍可放心利用。儘管用心了，但限於水平，《萃編》訛誤多有，期待讀者批評指正。

　　《萃編》的編纂整理，與《兩漢全書》後期工作重合，而與《儒藏》詩經類、讖緯類幾乎同步，王承略、劉心明的學生，以及徐傳武、鄭傑文、莊大鈞三位先生的部分學生，同時參加了此三個項目，在工作過程中得到了鍛煉和提高。通過項目培養學生，是山大古典文獻研究所的傳統。如今，包括《萃編》在内的幾個大項目相繼竣工，鄭傑文、王承略、劉心明的工作重點轉到了"《子海》整理與研究"上。《子海》借鑒幾個大項目的成功經驗，做得會更好一些。

王承略　劉心明

2014 年 2 月於山東大學

二十五史藝文經籍志考補萃編總目